D0000122

TRADUIT DE L'ANGLAIS (ÉTATS-UNIS) PAR NICOLAS RICHARD

LA CONTRÉE IMMOBILE

Tom Drury

C am
bou
rakis

Ouvrage traduit avec le concours
du Centre national du livre.

Publié avec le concours de
la région Île-de-France.

Avant-propos

« Ce connard de Shane m'a tiré dessus, dit Lyle. – Oh, t'es pas blessé, fit Shane. Mets-la en sourdine. – Pas blessé ? Tu lui as tiré en plein cœur, fit Ned. – Hé, tu me cherches, tu me cherches, et à ton avis il va se passer quoi, à la fin ? »

Dans *La Contrée Immobile*, la serveuse Charlotte Blonde est brune.

Dans *La Contrée Immobile*, la chanteuse des Carbon Family s'appelle Allison Kennedy et chante : « Au paradis il n'y a pas de bière/Et personne ne distribue le courrier. »

Dans cette histoire, la femme au fin chemisier de coton gris, sourire farouche, yeux verts, regard dur, s'appelle Jean Story.

Dans *La Contrée Immobile*, la grande fête annuelle du village s'intitule Journées du Braquage de Banque et célèbre un hold-up qui a échoué, en 1933.

Dans *La Contrée Immobile*, les trois méchants en vrai sont la réplique des trois méchants d'une pièce de théâtre amateur.

Dans *La Contrée Immobile*, il y a du trafic de speed. La drogue est acheminée par avion de Californie, pour court-circuiter les margoulins des labos qui fabriquent la *meth*.

Dans *La Contrée Immobile*, le prof d'arts martiaux s'appelle Geoff Lollard et son cours s'intitule Frapper, Détourner, Marginaliser.

La Contrée Immobile est une histoire qui se reflète sur le Lac de Verre. Pierre Hunter glisse, le lac cède et Pierre traverse le miroir.

La Contrée Immobile n'est pas un roman noir.

La Contrée Immobile un roman bleu givré, recouvert de la même pellicule scintillante que Fargo.

La Contrée Immobile est l'art de poser des questions sans point d'interrogation.

Dans le Valet de Carreau, on devine le reflet de l'Hôtel du Grand Nord de *Twin Peaks*. Mais façon Midwest.

Keith Lyon est sans doute le meilleur chef cuisinier de toute la région. Sa spécialité est « l'agneau à la primitive ».

Dans *La Contrée Immobile*, Carrie Sloan consacre des poèmes au terrain de golf, qui tendent vers le fatalisme ou l'existentiel.

La Contrée Immobile est un thriller à déflagration lente, qui tend vers le fatalisme ou l'existentiel.

Chaque personnage de *La Contrée Immobile* contient toute *La Contrée Immobile*.

Chaque phrase (ou presque) de *La Contrée Immobile* raconte toute *La Contrée Immobile*.

Dans *La Contrée Immobile*, on devine le reflet des premiers courts romans de Paul Auster (*La Cité de verre*; *Les Revenants*). Mais version Midwest.

La Contrée Immobile, roman existentialiste : Pierre y est un étranger. Ceci est l'histoire de sa chute.

Dans *La Contrée Immobile*, la mort s'appelle Tim Geer.

Dans *La Contrée Immobile*, l'amour s'appelle Stella.

La Contrée Immobile met en scène un arrière-monde manipulateur. Mais dans le Midwest.

La Contrée Immobile célèbre l'existence d'une entre-vie. Mais dans le Midwest.

La Contrée Immobile est gothique. Mais façon Midwest. L'alcool y est perçu par certains comme un élixir diabolique.

Dans *La Contrée Immobile*, Pierre sera obligé de suivre un cours de Réhabilitation Accélérée. Mais il doute de pouvoir être « réhabilité » de plus en plus vite selon un chemin elliptique jusqu'à s'évaporer en un éclair bleu de pure santé mentale.

La Contrée Immobile est parfois appelée Petite Suisse (dans l'Iowa).

Dans *La Contrée Immobile*, on devine le reflet des polars helvétiques de Martin Suter (*Small World*; *La Face cachée de la lune*). Mais façon Midwest.

L'unique policier de *La Contrée Immobile* s'appelle Telegram Sam. Il s'exprime de manière laconique.

La Contrée Immobile, c'est la nuit de Pierre Hunter.

Hunter est une pierre lancée qui ne peut manquer sa cible.

Dans *La Contrée Immobile*, on devine le reflet des premiers films de Hal Hartley (*Trust Me*; *Simple Men*). Mais façon Midwest.

Pierre Hunter fait de la batterie. Son solo du premier de l'an semble vouloir dire : Oui, nous allons mourir, mais en attendant il faut faire un boucan du feu de Dieu.

Dans *La Contrée Immobile*, on se demande qui sont ceux qui pensent en priorité à l'argent et si ces gens-là n'ont pas du mal à convaincre les autres de prendre cette idée au sérieux.

Longtemps on a cru que la Contrée Immobile devait son nom au fait qu'elle avait été épargnée par le puissant mouvement des glaciers. Mais le point de vue géologique moderne tend à infirmer cette hypothèse.

Pourtant nous aussi on imagine bien les glaciers relevant leurs fronts bleus pour s'orienter, se séparant après s'être mis d'accord pour se retrouver en aval.

Nicolas Richard, été 2012

Pour Claudia

Juste avant cela, une fille de la prospère famille Chang, nommée Yen-erh, mourut soudain à l'âge de quinze ans sans la moindre cause apparente. Dans la nuit, cependant, elle revint à la vie, se leva et souhaita s'en aller ; la famille barra la porte et ne voulut rien entendre. Sur ce elle déclara : « Je suis l'esprit de la fille d'un sous-préfet… Vraiment, je suis un fantôme, alors à quoi bon me confiner ici ? »

Chroniques de l'étrange, Pu Songling

UN

Ils s'appelaient Pierre Hunter et Rebecca Lee, ils avaient dix-sept ans, et il était venu la voir à l'hôpital parce qu'elle avait contracté une pneumonie après avoir participé à une compétition de cross-country, un week-end de pluie. Elle était allongée dans le lit, tenant les barrières de ses mains pâles et fines, et disait qu'il fallait que la chambre soit dans le noir, sinon elle ne pouvait pas dormir.

« Là, on n'est pas dans le noir, dit-elle. Il y a de la lumière qui entre toute la nuit.

– Laisse peut-être les stores tirés.

– C'est ce que je fais. Je parle de quand ils sont tirés. »

Pierre s'avança jusqu'à la fenêtre et regarda à l'extérieur. Le parking était éclairé par une forêt de lampadaires, dont un juste devant. La lumière qu'il diffusait était blanche, avec un noyau bleu.

« Je vois ce que tu veux dire, dit-il. C'est un peu comme de la soudure à l'arc.

– Il faudrait que tu sois là plus tard, quand les lumières sont éteintes dans la chambre, dit-elle. Déjà là c'est pas terrible, mais ensuite c'est pire. Et puis ça fait un bourdonnement que je n'aime pas non plus.

– Ouais. Ça je ne l'entends pas. »

Elle se passa les doigts dans les cheveux, qui étaient courts et châtains avec des mèches rousses et des épis hérissés comme des favoris.

« C'est que, pour l'instant, dit-elle, ça ne bourdonne pas.

– Est-ce que tu as parlé à quelqu'un ?

– Ils m'ont donné ça. »

Elle ouvrit un tiroir de la table de nuit et lui lança un masque noir avec un élastique.

« À me mettre sur la tête, dit-elle. Tu y crois ? Qui pourrait dormir avec un truc comme ça sur les yeux ?

– Il y a probablement des gens qui y arrivent, dit Pierre.

– Pas avec celui-ci.

– Sinon ils ne les fabriqueraient pas.

– Dis-leur juste de l'éteindre, d'accord ? »

Au moment de partir, Pierre alla voir l'infirmière responsable de l'étage. Elle fit oui d'un tremblement rapide de la tête et regarda derrière lui, comme si d'avance elle ne tiendrait pas compte de ce qu'il pourrait avoir à lui dire.

« Rebecca prend beaucoup de médicaments, dit-elle. Elle ne sait pas toujours ce qui se passe. Elle dort. Vous n'avez pas à vous inquiéter à ce sujet.

– Il y a cette lumière.

– Ah oui. La lumière dont elle parle.

– Enfin, je veux dire, il y a *effectivement* une lumière.

– Bien sûr qu'il y a une lumière.

– Et elle fait du bruit.

– Il y a beaucoup de lumières, dit l'infirmière. C'est un hôpital. J'imagine qu'on peut s'attendre à ce qu'il y ait quelques lumières et un peu de bruit. Et ce serait en effet un hôpital bien sombre si on commençait à éteindre les lumières sans plus de raisons que ça. »

Ils discutèrent et argumentèrent encore un peu. Pierre se dit que cette infirmière était le genre de personne qui répondait toujours aux requêtes en disant que c'était impossible, même quand ce n'était pas le cas ou qu'elle n'en savait rien.

Mais la nuit suivante, trois lampadaires du parking ne s'allumèrent pas, dont celui juste devant la fenêtre de Rebecca.

Envoyé pour mener l'enquête, un électricien de l'hôpital découvrit que le circuit avait disjoncté dans une armoire électrique cadenassée sur une passerelle derrière la benne à ordures. C'était un peu étrange mais ça arrivait de temps en temps, et l'électricien remit le disjoncteur en marche, les lumières se rallumèrent, et il n'y pensa plus jusqu'à ce que, le lendemain soir, trois lumières à nouveau ne s'allument pas, et de nouveau il les remit en marche.

Le troisième soir, l'électricien se munit d'un thermos de café et attendit dans son camion sur le parking. Vers dix heures, il aperçut quelqu'un en sweat-shirt à capuche sortir de l'hôpital, remonter la passerelle, ouvrir l'armoire électrique, et couper les lumières.

L'électricien referma le thermos et sortit du camion. Astucieusement, il ne cria pas, ne fit pas de bruit, et il faillit attraper la grande silhouette à capuche sans même avoir à la pourchasser. Mais pas tout à fait. Il y eut une poursuite, or l'électricien ne courait pas vite, et celui qui avait coupé l'électricité s'en serait tiré, mais il commit l'erreur de s'engager dans les jardins de l'hôpital, qui se trouvaient dans une cour fermée, sans autre issue. L'électricien l'attrapa par le bras, rabattit la capuche et vit que ce n'était qu'un gamin.

« Pas si vite, toi, fit-il. Comment tu t'appelles ?

– Pierre Hunter, répondit Pierre. Ma copine est au deuxième étage. Elle n'arrive pas à dormir à cause des lampadaires.

– Je vais te dire une chose, fit l'électricien. Traficoter l'électricité de l'hôpital, ce n'est pas seulement interdit, c'est dangereux. Tu pourrais couper l'assistance respiratoire d'un patient. Est-ce que tu y as réfléchi, à ça ?

– Comme si on allait faire passer le courant pour alimenter un truc pareil par le parking, rétorqua Pierre.

– Oh, monsieur est expert en installations électriques, à ce que je vois.

– Il y a un diagramme à l'intérieur de la porte.

– Oui, certes, dit l'électricien. C'est moi qui l'ai dessiné. Mais dis-moi. Comment ouvres-tu le cadenas ?

– La combinaison est notée derrière », répondit Pierre.

Ils allèrent voir l'armoire électrique, et l'électricien constata que c'était vrai.

« Ça va un peu à l'encontre du but recherché », dit-il.

Il remit le courant, mais le hasard fit que, si deux lampadaires s'illuminèrent et restèrent allumés, l'ampoule du troisième grésilla puis grilla.

« C'est celui-ci ? demanda l'électricien.

– Je crois, oui.

– Je pense que cette nuit elle dormira correctement. »

Ce que Pierre avait fait aurait pu être interprété comme une tentative peu judicieuse d'outrepasser une bureaucratie froide et insensible, et l'hôpital savait cela. Rebecca Lee n'était pas la seule à s'être plainte des lampadaires et du bruit qu'ils faisaient.

Et donc, au lieu de contacter la police, le chef de la sécurité demanda seulement à Pierre de ne pas remettre les pieds à l'hôpital. Et de ne pas non plus revenir sur le parking.

Un soir, durant son bannissement de l'enceinte de l'hôpital, Carrie Sloan, une amie de Rebecca, vint chez Pierre, sur les hauts de la commune de Shale, où Pierre habitait une grande maison sur un hectare et demi, avec sa mère, son père et leur chienne, un labrador nommé Monster.

Pierre était dehors dans le jardin, à écouter les chouettes dans les sapins-ciguë, et à présent lui et Carrie discutaient dans le garage, à côté des tondeuses Sabre.

« Écoute, Rebecca ne veut plus sortir avec toi, annonça Carrie. Elle voulait que tu sois le premier au courant.

– Ah, bien, fit Pierre.

– Désolée.

– Mais tu l'as su avant moi.

– Bon, disons que tu es *dans* les premiers.

– Elle aurait pu appeler.

– Elle ne peut pas utiliser de téléphone, pour l'instant, Pierre.

– Demander que quelqu'un lui fasse le numéro et lui tienne l'écouteur.

– Le vrai problème c'est le téléphone ? demanda Carrie Sloan. Probablement pas, je me trompe ? Évidemment ce doit être douloureux et tout.

– Ce n'est pas à cause de la lumière.

– Non. Elle a oublié tout ça. Il n'y a pas de raison, Pierre. C'est comme ça.

– Qu'est-ce que ça veut dire ?

– Réfléchis-y.

– Évidemment que c'est comme ça. Sinon, ça ne serait pas.

– Oui, enfin… C'est une expression très courante.

– J'imagine que ça veut dire : "Vachement dommage, hein."

– Si c'est ce que tu veux que ça signifie, lui accorda-t-elle.

– Même avant qu'elle tombe malade je n'arrivais pas à dire si elle voulait encore sortir avec moi.

– Bon, eh bien maintenant tu sais. Elle ne veut plus.

– Demande-lui de m'écrire une lettre.

– Je transmettrai ta requête, mais je ne peux rien te promettre. »

Se tournant vers une MGA blanche dans le garage, elle demanda : « C'est ta voiture ?

– Je sais la conduire, répondit Pierre. Mais ce n'est pas la mienne à proprement parler. »

Ils restèrent là à contempler le cabriolet deux places. La courbure nerveuse des ailes arrière débouchait sur la longue surface plane des flancs, et la calandre tombait abrupte entre deux phares ronds avides.

« Allons faire un tour, lança Carrie.

– D'accord, monte. »

Pierre donna des coups d'accélérateur puis lança la MGA jusqu'à la centrale électrique que certains appelaient le Terrain de Jeu de Frankenstein, et se gara devant le portail grillagé. C'est à peine s'ils se parlèrent pendant le trajet car il ne dura que quelques minutes.

« C'est magnifique, hein », fit Pierre.

Elle posa son bras élancé sur la portière et lui adressa un sourire de guingois, comme si elle avait parfaitement vu clair dans son jeu, quand bien même elle se fichait un peu de voir clair ou pas dans son jeu.

Elle était célèbre pour ce sourire au lycée.

« C'est ça ton idée d'un endroit marrant où m'emmener ? demanda-t-elle.

– En un sens, ouais.

– Tu m'en veux de t'avoir apporté le message.

– C'est ta manière de l'apporter, dit Pierre. Manifestement tu te prends au jeu.

– Bon et alors, ça te fend le cœur ou quoi ? Tu es en train de pleurer ou quoi ? J'espère que tu n'es pas en train de pleurer.

– Juste intérieurement.

– Ça t'arrive, des fois, de dire quelque chose de sérieux ?

– Des fois, oui, bien sûr, admit Pierre. Tu sais ce que m'a dit le gars quand il m'a surpris en train de faire disjoncter les lampadaires ? "Oui, certes." C'est bizarre, non ? Ce serait possible qu'il soit anglais ?

– Je ne sais pas, dit Carrie. N'importe qui *pourrait* être anglais.

– C'est vrai.

– Il suffit d'être originaire d'Angleterre.

– Oui, effectivement. »

Carrie était responsable du club poésie, et elle annonça qu'elle avait écrit un poème sur Rebecca, sa pneumonie et la compétition de course à pied.

« Écoutons-le », dit Pierre.

La pluie se déchaîne et goutte des feuilles
De chêne sur les coureurs sous la pluie
Et nous attendons que Rebecca s'enfuie.
Comme un cheval retenu par le troupeau
Elle n'arrive pas à s'échapper, à prendre la tête.
Elle n'est pas à la fête – c'est évident –
Car d'habitude ses résultats sont excellents.

« C'est bien, dit Pierre.

– Mais quoi ?

– Oh, rien.

– Non, non, vas-y. Je perçois une hésitation.

– Eh bien, c'est un peu flottant, question rimes, mais je suppose qu'on a le droit. »

Elle fit oui de la tête. « Non seulement on a le droit, mais j'aime bien. »

Pierre la ramena à la maison et la regarda repartir en voiture, puis il rentra chez lui.

La maison Hunter était haute et vieillotte, avec des vases verts poussiéreux sur des tables en bois et un escalier étroit qui montait tout là-haut jusque dans la pénombre, et les parents de Pierre regardaient un film dans le séjour, *La Charge héroïque*.

Monster, une chienne labrador noire, dormait sur le flanc, à plat sur le tapis rouge décoloré.

Pierre s'installa à tâtons dans un fauteuil en cuir noir tout en fixant l'écran télé, et il envisagea de leur rapporter ce que Carrie Sloan avait dit, mais ensuite il songea qu'il allait probablement garder cela pour lui.

« En quoi est-ce un classique ? demanda sa mère. J'aimerais bien le savoir. Il n'y a que de la chanson et des moyens de transport, que je sache. »

Le père de Pierre prit le journal, le manipula dans un bruissement sonore, il mit ses lunettes et lut : « Il a "la qualité élégiaque de l'immensité de l'Ouest".

– Ça ne veut strictement rien dire.

– "John Wayne dans l'un de ses meilleurs rôles."

– Peut-être bien. Mais quand je le vois, je ne vois rien d'autre que John Wayne.

– C'est ça, une star.

– Je trouve que c'est mieux quand le héros est plutôt modeste et qu'on ne sait pas ce qu'il va devenir. »

Pierre remonta ses jambes et regarda la télé par-dessus ses genoux. « Redites-moi pourquoi elle porte le ruban jaune.

– Elle le porte en l'honneur de son amant qui est dans la cavalerie américaine.

– Regarde, Monster, fit le père de Pierre. Il y a un chien dans le régiment de John Wayne. »

Il parlait tout le temps à Monster et répondait souvent pour elle d'une voix plus aiguë et plus dense que la sienne.

« Une promenade, ça te dirait ma fifille ? » lançait-il, tenant la laisse dans ses mains, tout en regardant les yeux profonds et sceptiques du labrador.

« *Je ne sais pas. On dirait qu'il pleut pas mal.*

– Oh, tu vas adorer. Allez viens.

– *Il pleut comme vache qui pisse dehors.*

– Je croyais que tu étais censé être un chien d'eau.

– *Ouais, tu sais, en fait c'est très surestimé. Là, je vais aller m'allonger.*

– Non, laisse-moi mettre ta laisse.

– *Vas-y, mais ça ne va pas te plaire.*

– Te la mettre à toi, je veux dire… »

Les parents de Pierre étaient des personnalités excentriques et admirées à Shale. Ils y étaient arrivés au mitan de leur vie, après avoir divorcé et laissé leurs familles loin, à Council Bluffs.

Ce qui était à l'évidence un scandale, mais, d'une certaine manière, ne semblait pas les toucher. Ils travaillaient dur, étaient attentifs au monde, et organisaient de tonitruantes parties de cartes. Ils avaient eu Pierre à un âge où de nombreux parents, eux compris, avaient des enfants pratiquement adultes.

La mère de Pierre était la gérante du bureau des assurances de Shale et son père était astrophysicien pour un constructeur aéronautique de Desmond City. Personne ne comprenait en quoi cela consistait, pas même Pierre. Son père pouvait l'expliquer, mais uniquement dans une sorte de langage que l'esprit humain tend à oublier dans l'instant.

Un beau jour, Pierre avait alors quatorze ans, lui et Monster la toute jeune labrador fouinaient au sous-sol et trouvèrent une paire de patins à glace suspendue à un clou par des lacets effilochés. Les patins étaient de belle facture et lourds, mais éraflés, balafrés et rendus fragiles par l'âge. Il les prit et les remonta.

Il trouva son père dans son bureau, au téléphone avec quelqu'un du labo où il travaillait.

« Essaye de secouer, disait-il. Tu as déjà essayé, hein? Eh bien, recommence... Je m'en fiche. Pose-le juste sur la table pour le moment... Ne t'en fais pas pour ça. En réalité ça n'arrive jamais. C'est ce que tout le monde dit... D'où vient la capacitance? Tu vois ce que je veux dire. Il faut bien qu'elle vienne de quelque part. »

Il avisa Pierre. « Je suis en attente, dit-il.

– Ils sont à toi? demanda Pierre.

– Je suis étonné qu'ils soient encore de ce monde. J'ai joué au hockey, tu sais. Je n'étais pas trop mauvais, d'ailleurs.

– Est-ce que je peux les avoir? » demanda Pierre.

Son père hocha la tête. « Bien sûr. Prends-les. »

Puis dans le téléphone il dit : « Ouais... Non, non, non. Tu as lu le chapitre huit? Je suis presque certain que c'est là-dedans... Eh bien, relis-le. »

À la suite de sa rupture avec Rebecca, Pierre essaya de la jouer cœur tumultueux, romantisme de la perte de l'être aimé. Cela lui donna le loisir de boire et de broyer du noir avec un regard dur, ce qu'il trouva intéressant. Après s'être pinté un soir à La Pente, un établissement qui surplombait le Lac de Verre, ses parents le trouvèrent debout dans la cuisine.

« Et s'il existait une langue composée d'un seul mot ? demanda-t-il.

– Elle serait facile à apprendre, dit sa mère.

– Et avec ce mot-là ils exprimeraient tout, à chaque fois qu'ils parleraient, dit Pierre.

– Ouais, tu parles d'une langue, dit son père. Qu'est-ce que tu as pris ?

– J'ai bu, c'est tout, dit Pierre. Rien que de la bonne picole américaine. Vous avez l'air vieux, ce soir. Tous les deux vous avez l'air vieux. »

C'était honnête, quoique minable, de dire une chose pareille, et il n'allait pas tarder à le regretter.

« C'est toi qui nous rends vieux, dit sa mère. Ta façon de glandouiller, Pierre. Je me demande ce que tu vas devenir.

– Tu n'es même pas triste, dit son père. Pas vraiment. Tu essayes juste de voler la vedette à Rebecca et sa maladie.

– C'est possible mais peu probable », dit Pierre.

Son père remplit un verre d'eau du robinet et le lui tendit. « Bois ça, dit-il. Il aurait peut-être fallu que tu ailles en pension. Je ne sais pas si c'est un très bon environnement pour toi ici.

– Ça ne m'aurait pas dérangé s'il y avait eu moyen de jouer à la crosse, répondit Pierre. Et je pense que dans la plupart c'est faisable.

– Tu joues au football.

– J'aime ces bâtons du jeu de crosse, n'empêche.

– Il y a ça qui est arrivé pour toi », dit sa mère.

C'était une lettre de Rebecca, que Pierre prit et avec laquelle il monta dans sa chambre pour la lire au lit.

Cher Pierre,

Je n'arrive pas à croire que c'est bientôt la terminale, et avec elle notre dernière chance de faire les choses qui resteront toute notre vie dans nos souvenirs. Celui ou celle qui a dit que chaque jour est un cadeau venu de quelque part a vraiment bien vu le coup. Comme Carrie te l'a dit, je veux être libre de voir d'autres gens pendant notre dernière année au lycée de Shale-Midlothian. Jamais je n'oublierai la fois où j'ai mis ton manteau pendant la sortie scolaire aux Tumulus Préhistoriques.

Bien à toi
Rebecca

Pierre lâcha la lettre qui virevolta jusqu'au sol. C'était un peu comme si Rebecca était sortie tout ce temps-là avec l'un de ces vendeurs de bagues personnalisées destinées aux étudiants d'une même promo, cependant il était touché qu'elle se rappelle avoir mis son manteau. Mais ils ne se remirent jamais ensemble et l'année suivante Rebecca déménagea en Arizona où son père prit un poste à la municipalité de Yuma, et Pierre ne la revit jamais.

Les années passèrent. Pierre partit pour l'université à Ames, à 280 kilomètres au sud-ouest. Il mit cinq ans pour en venir à bout. Ses parents moururent pendant l'hiver de sa troisième année. La mort de sa mère avait été prédite depuis un certain temps, mais le cœur de son père le lâcha sans prévenir trois semaines plus tard. Son père rentrait à la maison, il revenait de la quincaillerie de Shale, et se gara sur le bord de la route, où une postière qui faisait sa tournée le retrouva dans sa voiture.

Quand Pierre repensait à cette période, c'était comme s'il la voyait à travers du verre embué. Il se déplaçait en somnambule au milieu de gens en costume et en robe, des gens qui flottaient dans des cages d'escalier. Cela paraissait impossible que ses parents aient disparu. Il les considérait comme toujours vivants. Le problème menaçait, mais la solution était hors d'atteinte. Il avait l'impression qu'il pourrait peut-être encore faire quelque chose si seulement il pouvait y réfléchir.

Il eut une sorte de crise de nerfs en attendant que commence la cérémonie funèbre à l'église des Quatre Coins. Ses mains se mirent à trembler et il eut du mal à respirer. Il se leva et se faufila hors de la rangée des demi-frères et demi-sœurs de Council Bluffs. Il quitta le corps principal de l'église et monta les deux étages jusqu'au clocher. De là, il contempla par-dessus le muret la lumière du soleil sur les collines enneigées. Il fuma une cigarette et l'écrasa, puis pleura assez fort et pendant un long moment. Il avait un mouchoir bleu comme ceux des vieux paysans, avec lequel il essuya ses larmes et se moucha. La lumière lui faisait mal aux yeux car elle était si claire et fluette et à l'évidence ignorante de ce sur quoi elle brillait.

DEUX

L'étrange enchaînement d'événements qui allait aboutir aux fameuses violences de Fay's Hill débuta le soir du Nouvel An, l'année des vingt-quatre ans de Pierre.

Il vivait de nouveau à Shale, dans un appartement au-dessus de la papeterie. Il avait une licence en sciences et un boulot de barman au Valet de Carreau, un club-bar-restaurant près du Lac de Verre. Il était le plus jeune barman, et de loin, si bien que ce jour-là on lui donna le service de début de soirée, avant que les clients n'allongent les gros pourboires inconsidérés de la fin d'année.

Et donc Pierre quitta le bar vers neuf heures et se rendit à une soirée privée à Desmond City. La maison appartenait à des gens qu'il ne connaissait pas très bien et était arrangée dans un style brut et aléatoire. Il y avait un marteau dans la baignoire, une radio en bakélite dans la cheminée, des guitares et une batterie dans le séjour. Des stores en papier déchirés étaient posés sur le dossier d'une banquette, près des fenêtres, comme si quelqu'un les avait décrochés mais avait oublié de les jeter. Les murs étaient peints en rouge et bleu foncés.

L'appropriation d'objets d'art publicitaire était chose courante dans ce genre de maison, et le spécimen qu'ils avaient déniché était rare et hypnotique. C'était une brique bleu clair en forme de paquet de cigarettes, mais en trois ou quatre fois plus grand, et l'intérieur était animé d'un éclairage perpétuel. En touchant la surface on s'attirait tout un essaim de rayons au bout des doigts. L'avis du ministère de la Santé était imprimé sur le côté de l'objet, et sur le devant on pouvait lire l'inscription :

23

Kool
Milds
The House of Menthol

Pierre se prit un gobelet de whisky dans la cuisine, s'assit dans un rocking-chair et but en admirant la lumière bleue. Au bout d'un certain temps, une femme vint s'asseoir sur l'accoudoir du fauteuil. Elle était élancée, maquillée, elle sentait les épices et portait un blouson en cuir noir avec des clous argentés et une frange épaisse qui pendait aux manches.

Elle se nommait Allison Kennedy, et travaillait à la chaîne à la fabrique de verre de la ville d'Arcadia. Elle avait des yeux couleur glace pailletés d'or et chantait dans un groupe qui s'appelait Carbon Family.

« Quelqu'un a dit que tu jouais de la batterie, fit-elle.

– Ouais, répondit-il. Et puis aussi du violoncelle.

– On voudrait faire tourner un truc, mais notre batteur est pas là.

– Je vais jouer. »

La musique allait débuter d'ici une demi-heure. Allison Kennedy jouait sur une ASAT Classic rouge, et il y avait deux autres guitaristes, et puis Pierre à la batterie. Les petits amplis étaient posés à l'arrière, près du mur, et envoyaient un gros son strident. Ils jouèrent « Thrift Store Chair », « Coralville Dam », « Polyester Bride » et « In Heaven There Is No Beer ».

Peu de groupes jouaient cette dernière chanson comme Carbon Family. C'était une version lente, pleine d'accords mineurs et de chagrin. De sa voix la plus aiguë et la plus fantomatique, Allison Kennedy vous faisait croire que vous y étiez.

In Heaven there is no ale
And no one delivers the mail
And when our heartbeats fail
*Our friends will attend the rummage sale**

* *Au paradis il n'y a pas de bière/Et personne ne distribue le courrier/Et quand nos cœurs cesseront de battre/Nos amis assisteront à la vente du bric-à-brac.*

La chanson se termina, mais son désespoir demeura dans la chaleur de la pièce où se déroulait la fête. Les membres du groupe allèrent se chercher une bière et réfléchir à ce qu'ils joueraient ensuite. Pierre resta derrière la batterie. Il y avait une grosse caisse avec deux fûts, une caisse claire, un tom basse et deux cymbales, une *ride* et une charleston. Il entama un solo qui vagabonda un peu, gagna en volume et en vitesse, revenant toujours à une série de *rimshots* qui faisaient penser à une machine tombant en panne.

Oui, nous allons mourir – tel était le message de son jeu de batterie – mais en attendant il faut faire un boucan du feu de Dieu comme celui-ci. Il essaya de restaurer l'équilibre psychique de la fête, mais à partir du moment où les gens savent qu'un solo de batterie a commencé, habituellement ils quittent la pièce, sans se soucier de la raison pour laquelle ce solo est joué, c'est en tout cas ce qui se passa cette fois-ci.

Le batteur du groupe arriva. Pierre déambula dans la soirée avec son grand verre de whisky, écoutant les conversations, y prenant part parfois, mais il ne disait manifestement jamais ce qu'il fallait. C'est drôle comme on peut devenir l'invité importun quand on ne connaît pas beaucoup de gens, et qu'on ne devrait être au pire qu'un simple inconnu, mais Pierre avait le chic pour ça.

À un moment donné, par exemple, il tomba sur un gars et deux filles qui discutaient dans une alcôve entre la cuisine et une autre pièce. Ils avaient le regard vif, pétillant, et la garde-robe de chez Goodwill des jeunes étudiants en filière technique.

« Ils m'ont dit qu'il fallait que je les prenne, disait le garçon. Alors c'est ce que j'ai fait. Mais mes oreilles se sont mises à bourdonner pire que jamais, alors j'ai arrêté.

– Prendre quoi ? demanda Pierre.

– C'est à toi que je parlais ?

– Jusqu'à maintenant non.

– Des antidépresseurs.

– Tu es triste ?

– Je suis déprimé. »

Pierre hocha la tête et but une gorgée. « Quelle est la différence ?

– C'est exactement de ça que je suis en train de parler », répondit le garçon.

Une des deux filles dévisageait Pierre de manière impassible tout en mâchonnant une petite épée en plastique. « C'est un malentendu courant au sujet de la dépression, on croit que ça a un rapport avec quelque chose de déprimant, dit-elle.

– Tu devrais essayer d'écouter de la musique, dit Pierre. Moi, ça me fait toujours du bien.

– Je suis sûr que c'est aussi simple que ça, fit le garçon.

– The Decemberists ont sorti un bon album. Écoute "The Sporting Life". Si ça ne te fait pas sourire, alors rien n'y fera.

– Tu es qui ?

– C'est lui qui bourrinait sur la batterie, dit la fille.

– Ah, fit Pierre. Ça t'a plu ?

– Pas vraiment. Ça m'a fait mal aux oreilles. »

Donc cela ne se passait pas si bien pour Pierre à la soirée mais manifestement c'était plus fort que lui. Et pourtant c'est parfois au moment où on le mérite le moins que quelque chose de bien se produit.

Pierre descendait l'escalier et Allison Kennedy en blouson noir à franges le montait, ils se trouvèrent face à face dans l'étroite cage d'escalier et sans un mot commencèrent à s'embrasser.

C'était le genre de chose qui n'arrivait jamais à Pierre, et il eut le sentiment que les baisers désespérés l'absolvaient du solo de batterie et d'avoir embêté l'étudiant dépressif.

Puis ce fut terminé – il poursuivit sa descente et Allison sa montée – mais il comprit qu'une partie de la soirée serait peut-être sauvée ; il prit alors ses gants, son manteau et sortit prendre l'air, se promener et dessaouler un peu si possible.

Il marcha jusqu'à un parc au bout de la rue où il pourrait regarder en l'air et voir si quoi que ce soit changeait lorsqu'une année faisait place à la suivante – comme si le papier étoilé du ciel pouvait s'estomper et réapparaître avec un motif différent. Pierre portait un pardessus à chevrons noir et gris et des gants en cuir jaune avec des lanières sur le dessus, et une fois sorti de la maison aux murs sombres, il se félicita de la grande coordination avec laquelle il se déplaça sur le trottoir et entra dans le parc.

Il ne se passait rien d'inhabituel dans le ciel. Il vit certes une étoile filante, mais elles étaient tellement courantes les nuits d'hiver, par ici, que le plus insolite eût été de ne pas en voir une en levant la tête à n'importe quel moment.

Dans l'abri à pique-nique du parc un vieil homme était assis sur une table, les mains dans les poches, ses bottes de cow-boy noires appuyées sur le banc, et Pierre s'approcha pour venir lui parler.

« Bonne année, dit Pierre.

– À toi aussi.

– Qu'est-ce que vous faites ?

– J'attends quelqu'un. Je commence presque à penser que la personne a décidé de faire autre chose. »

Pierre essaya de hisser le pied sur le sol en ciment de l'abri à pique-nique mais loupa, alors il réessaya et réussit.

« On a picolé ? demanda le vieil homme.

– Un peu.

– Faut dire, c'est la soirée pour, je suppose.

– Je suis à une fête là-haut, au bout de la rue.

– Tu es prêt ?

– Pour quoi ?

– Je ne sais pas. La nouvelle année. Ce qu'elle apportera.

– Plus que prêt.

– Bien. Je propose une bonne poignée de main pour fêter ça. »

Ils ôtèrent leurs gants et se serrèrent la main.

« Écoutez, dit Pierre. Il fait quand même assez froid dehors. Ça vous dirait de venir à la soirée dont je vous parlais ?

– Oh, je ne crois pas, non. Présentations pénibles. De la sauce saveur oignon sur la table. C'est pas pour moi.

– De toute façon c'est le cirque. Les gens sont là, sans savoir qui il y a dans la pièce d'à côté.

– Retournes-y tout seul. Je suis sûr que tu trouveras. »

Quand Pierre eut disparu, le vieil homme se leva et traversa le parc à pied jusqu'à la rue où était garée sa voiture. Il s'appelait Tim Geer. Il quitta Desmond City en roulant vers le nord, traversa Shale et monta jusqu'à une maison perchée sur le promontoire qui surplombait le lac. Il sortit de la voiture et frappa à la porte, où l'accueillit une jeune femme en jean délavé, chaussettes rouges et chemise de feutre noire. Elle le fit entrer, servit deux verres de champagne, puis ils s'assirent et discutèrent.

« Il y est arrivé, dit Tim. S'est pointé à minuit.

– Comment savez-vous que c'est lui ? demanda-t-elle.

– Sinon il n'aurait pas été là. Et puis tu as vu le patineur, hein ?

– Ouais.

– Eh bien, c'est le patineur.

– C'est pour quand ?

– Pas tout de suite. Tu seras informée.

– Ça paraît un peu sournois, non ?

– Impossible de faire autrement, Stella. Tu es venue ici pour te sortir d'une situation assez moche, si tu te rappelles.

– Oui.

– Et celui qui t'y a mise doit être retrouvé. C'est normal. Or toi tu ne peux pas, et moi non plus.

– Mais ce gars en est capable.

– Je pense.

– Comment ?

– Je ne sais pas. C'est à lui de trouver. »

Pierre retourna à la soirée. Tout paraissait différent suite à sa rencontre avec le vieil homme – les voitures garées dans la rue semblaient plus neuves, la neige moins piétinée. Et quand il ouvrit la porte et entra dans la maison, il se rendit compte qu'il n'était pas à la bonne soirée.

Pris dans le mouvement, ou peut-être par peur de la gêne, il continua à traverser le séjour et s'assit dans un fauteuil. Les deux soirées étaient très différentes. Ici, c'était du parquet ciré avec un tapis d'un vert éclatant au milieu, il y avait des peintures de fleurs aux murs, et des gens d'un certain âge s'étaient rassemblés autour d'un piano, près de la fenêtre panoramique, pour chanter « This Magic Moment ». Ils avaient des feuilles avec les paroles, des tasses en étain mat, et se balançaient d'avant en arrière, gardant la mesure comme des gens heureux à une émission télé.

La musique s'arrêta au bout d'un moment. Le piano se fit hésitant et les voix s'estompèrent. Un homme en gilet brodé conduisit le groupe du piano au fauteuil où Pierre était assis. Il était petit et trapu, et le gilet figurait une scène montagnarde, un chariot tiré par des chevaux s'était renversé, projetant les voyageurs dans la neige, et les chevaux restaient immobiles, regardant derrière par-dessus leurs épaules. Il y avait tout une petite histoire racontée là, sur ce gilet.

« Tu connais quelqu'un ici ? demanda l'homme.

– Je ne crois pas.

– Alors, je vais peut-être te demander ce que tu fabriques ?

– J'étais à une soirée, dit Pierre. Mais ce n'était pas celle-ci. Je ne comprends pas vraiment ce qui se passe.

– Tu es chez un particulier, voilà ce qui se passe. Et il faut que tu t'en ailles. Je suis pas en service, mais je suis agent de police.

– Moi je suis barman.

– Je vais te dire ce qu'on va faire, écoute bien : on va se lever et décamper comme si rien de tout ça s'était passé.

– Est-ce qu'il y a de la sauce saveur oignon sur la table ? demanda Pierre.

– Oignon.

– Ouais.

– T'occupe pas de ce qu'il y a sur la table.

– Vous voulez voir mon tour de magie avec des pièces de monnaie ?

– Non. »

Mais à ce moment-là une femme prit la parole en faveur de Pierre : « Oh, pour l'amour du ciel, laisse-le faire son tour de magie, dit-elle. Le pauvre bougre veut juste nous montrer un tour de magie pour le réveillon. »

Elle avait des cheveux blonds bouclés, le visage tout rouge et était coiffée d'un chapeau de paille au bord cassé.

« Il est saoul, dit le flic. T'es bien placée pour le savoir, il me semble.

– Oh, laisse-le faire son tour de magie », dit-elle.

Les convives lui lancèrent un regard glacé pour avoir rompu leur unité face à Pierre l'intrus, mais il sembla aussi qu'elle avait utilisé un argument décisif dans la discussion en invoquant l'esprit du Nouvel An. C'était comparable au patriotisme en ce sens qu'on pouvait toujours le brandir pour justifier une action fâcheuse qu'on voulait accomplir. Et puis il faut bien reconnaître que la plupart des gens prendront le temps de regarder un bon tour de magie à base de pièces de monnaie, ou n'importe quel tour de magie à base de pièces de monnaie, à eux ensuite de décider s'il était bon ou pas.

Pierre se leva, enleva ses gants, son manteau, et les jeta sur le fauteuil. Le flic au gilet montagnard tourna le dos, leva les mains en l'air, comme pour signifier qu'à partir de maintenant, il ne répondait plus de rien.

« Mesdames et messieurs, je vais à présent vous demander votre petite monnaie », dit Pierre.

Ils lui en donnèrent une bonne quantité, probablement pas loin de cinq dollars, dont sept petites pièces de dix *cents*, qui allaient compliquer le tour mais le rendre plus impressionnant s'il marchait. Impressionnant était peut-être un peu exagéré, car c'était un tour assez banal, en fait ce n'était pas vraiment un tour de magie.

Pierre empila soigneusement les pièces. C'était déterminant. Les *quarters* tout en bas, puis les pièces de cinq *cents*, ensuite les *pennies* et enfin les pièces de dix. Il serra la pile entre le pouce et les deux premiers doigts de sa main gauche. Puis il arma le bras droit à hauteur de sa tête comme s'il allait lancer une balle de base-ball en utilisant uniquement le mouvement de l'avant-bras. De la main gauche il plaça le tas de pièces sur le plat de son coude droit dressé. Une fois assuré que les pièces n'allaient pas tomber, il retira sa main gauche, la laissa retomber le long du corps, et regarda les convives. Ils regardaient les pièces, qui formaient une tour tremblante au bout du ponton solitaire de son avant-bras retourné. Puis il déplaça son avant-bras droit à une vitesse telle que la main ouverte rattrapa les pièces dans un claquement métallique tandis que le coude s'effaçait par en dessous.

Pas une seule pièce ne partit dans les airs ni ne tomba par terre. Pas une ne s'échappa entre les doigts fermés de Pierre. Les gens adorèrent. Ils applaudirent, sifflèrent et oublièrent un moment que Pierre n'était qu'un inconnu entré comme ça dans la maison. C'était un concentré de perfection, si rare dans ce monde fracturé. Il tendit la main et l'ouvrit pour montrer la pleine poignée de pièces.

« Bon, le tour est terminé, très bien, fiche le camp », dit le policier qui n'était pas en service.

Pierre quitta la soirée à laquelle il n'était pas prévu qu'il vienne et resta à contempler la rue de part et d'autre, à se demander où diable se trouvait l'autre soirée.

C'est à ce moment-là qu'une voiture de police s'arrêta à sa hauteur, le gyrophare bleu tournoyant dans la neige.

Les agents discutèrent de ce qu'il convenait de faire. Certes Pierre était sorti de la maison où on les avait fait venir, mais on ne pouvait pas savoir s'il n'allait pas s'introduire dans une autre maison. Et puis ils avaient fait toute cette route.

Ce ne fut donc pas une décision difficile. Ils le firent monter à l'arrière de la voiture de police et l'emmenèrent au poste. Il discuta un peu mais sans trop s'en faire pour autant car il était encore grisé par le succès du tour de magie.

« Passez donc par le parc, dit-il. Il y a un vieux là-bas et je veux m'assurer qu'il n'est pas congelé.

– Tu ferais mieux de t'inquiéter pour ta pomme », fit l'un des policiers.

Au poste, on releva ses empreintes digitales, on lui prit ce qu'il avait dans les poches et on le mit dans une cellule. Des chaînes épaisses arrimaient au mur une planche qui faisait office de lit et une colonne de lumière pénétrait par une fenêtre. Il faisait froid et il avait de l'encre partout sur les mains.

Pierre se rappela le film *Les Temps modernes* et la cellule que Charlie Chaplin ne voulait pas quitter. Ce n'était pas un endroit aussi absurdement accueillant mais ce n'était pas si terrible. Il s'allongea sur la couchette et repensa au baiser avec Allison Kennedy dans l'escalier, à la première soirée.

Il fallait toujours qu'il pense à quelque chose avant de s'endormir. Comme ça, s'il se réveillait au milieu de la nuit, la chose à laquelle il avait pensé attendrait d'être reprise dans son esprit et son esprit ne s'emballerait pas dans toutes les directions.

Elle avait été chaude et inattendue avec sa chevelure odorante et ses yeux de pyrite. Et c'est en revivant ce moment dans l'escalier que Pierre fit passer la nuit à la prison de Desmond City.

TROIS

L'avocat de Pierre appela un dimanche après-midi de février. Pierre était alors dans son appartement de Shale, au milieu de toutes ses affaires : violoncelle, livres, et maquettes de bateaux. Une petite caisse en bois sur le dessus de la télé contenait les cendres de la chienne Monster.

Il ne faisait plus beaucoup de violoncelle depuis le lycée et il n'avait plus de durillons aux doigts, mais il lui arrivait quand même parfois de le sortir de son coin et de jouer le thème du film *L'Été martien*, qui était un bon morceau, et suffisamment lent pour qu'il puisse encore le jouer correctement.

L'avocat appelait depuis le club-house du golf, où il était en pleine partie de cartes avec le procureur. L'avocat et le procureur avaient trouvé un arrangement concernant l'affaire de Pierre, qui passait mardi au tribunal.

« Ça se passe comment, les cartes ?

– Je suis en train de perdre. Mais c'est comme ça que je joue.

– Est-ce qu'ils abandonnent les poursuites ?

– Oui et non. Rejoins-nous donc, je te raconterai tout ça. »

Pierre enfila ses grosses chaussures, les laça et prit les vieux patins à glace de son père dans la cuisine. Il descendit par l'escalier de service dans la ruelle et les lança dans le coffre de sa voiture.

La route était noire et étroite avec une couche de glace que l'on pouvait ignorer jusqu'au coup de freins – partant de là on comprenait vite – et le vent charriait une poussière composée pour moitié de neige et pour moitié de terre, fouettant le pare-brise dans un bruit métallique sec.

Shale se trouvait sur un plateau de la Contrée Immobile, et les crêtes partaient de là vers le nord, couvertes d'une forêt dense, se déployant comme les doigts écartés d'une main. On avait jadis eu coutume de dire que les glaciers avaient complètement contourné la Contrée Immobile, mais d'après ce que Pierre comprenait du point de vue géologique moderne, ce n'était pas pertinent, même s'il se plaisait à penser le contraire – se représenter les glaciers relevant leurs fronts bleus pour s'orienter, puis se séparant en s'accordant pour se retrouver plus loin en aval.

La route courait le long de la crête et s'écartait petit à petit, plongeant dans la pénombre de la forêt domaniale qui se dressait en talus de chaque côté. En quelques kilomètres Pierre passa devant le Valet de Carreau, où il travaillerait plus tard le soir même, et, un peu plus loin, devant la salle du Cinéma d'Art Petit. C'étaient les seuls commerces entre Shale et le Lac de Verre ; l'un et l'autre occupaient une bande de gravier empiétant sur le secteur forestier connu sous le nom de Fay's Hill.

Pierre longea le lac et prit la route d'Eden Center à l'ouest. Le ciel était nuageux, la grande route vide, et les lumières brillaient aux fenêtres des maisons, bien que ce ne fût que le milieu d'après-midi, l'ensemble créant une parfaite impression d'isolement, conférant à toute destination de la profondeur et du mystère.

C'était vrai même si on se rendait au Country Club du Lac de Verre. Il avait sous la neige une tristesse, comme un résidu d'étés gaspillés à jouer au golf. Des collines blanches ondoyaient jusque dans le néant et les machines lave-balles se dressaient çà et là, telles des sentinelles rouges disséminées au petit bonheur dans un pays froid.

Carrie Sloan – ou Carrie Miles, car elle était maintenant mariée, à Roland Miles, l'ami de Pierre – travaillait au club-house et avait écrit un poème sur le terrain de golf en hiver. Elle n'aimait pas trop le poème, mais Pierre l'avait lu et il s'en souvenait à présent :

La Douleur est dans l'eau
Le Désespoir est dans le rough
La Jalousie s'accorde un mulligan
Et la Mort en a vu assez.
Elle arrive au club-house
Pour boire un verre avec toi.
Sa partie à quatre prend une éternité ;
Elle est sur le green en deux.

Carrie avait écrit un certain nombre de poèmes à propos du terrain de golf, et ils tendaient vers le fatalisme ou l'existentiel. Ce n'était pas tant que sa vie fût si tragique mais elle trouvait la mélancolie plus intéressante que le monde quotidien.

Pierre entra dans le club-house et vit les cinq hommes en train de jouer aux cartes à une table près de la cheminée. Ils ne parlaient pas, se contentaient de ramasser des cartes, de les regarder et de les poser. Il n'irait pas se présenter directement à leur table, car il sentait que le moindre petit mot risquait de perturber la bonne marche de la partie. Il resta donc debout à observer jusqu'à ce que son avocat l'aperçoive et se lève.

Ils discutèrent sous la grande photo aérienne de Shale au mur. Elle avait été prise quarante ans plus tôt, et ce qui était drôle c'est qu'il y avait eu un accident dans la rue principale juste avant qu'elle soit prise, mais on ne pouvait le savoir que si quelqu'un vous l'expliquait.

Bien sûr, on pouvait voir les voitures et les gens debout dans la rue, mais rien ne semblait sortir de l'ordinaire. Si bien qu'en réalité, ce n'était pas si drôle, simplement on disait que c'était « drôle ».

« Ce sera fini mardi, hein ? » demanda Pierre.

L'avocat était un petit d'homme qui avait dans les trente-cinq ans, avec un sourire serein et d'énormes lunettes lui recouvrant une bonne partie du visage.

« Ça dépend de toi, dit l'avocat. Est-ce que tu es venu à mon cabinet vendredi ?

– Ouais, j'ai lu tous les magazines.

– C'est bien ce que je pensais. Désolé, hein. J'étais coincé à cause d'un acte de renonciation inextricable, les gens sont morts, personne n'est au courant de quoi que ce soit. Mais voilà ce que je te propose. Le procureur et moi, on a réfléchi à une chose, et je voulais savoir ce que tu en dis avant qu'on pousse la réflexion un peu plus loin.

– D'accord.

– Ils laissent tomber la violation de propriété privée. Je sais que tu vas être content d'entendre ça parce qu'on en a discuté. Ils n'ont rien. Ils le savent. Oublie. C'est fini.

– Lequel est le procureur ?

– Celui qui est là-bas. Qui regarde sa montre. Là il est en train de tapoter dessus, comme si elle ne marchait pas bien.

– Est-ce que je devrais le rencontrer, puisque je suis ici ?

– Je dirais que non. Il est en train de perdre gros.

– Et vous ?

– Presque revenu à zéro.

– Bon, alors ils feraient bien de ne pas attaquer si leurs accusations ne tiennent pas.

– Évidemment, c'est ce que nous dirions, sauf qu'eux ce n'est pas nous, dit l'avocat. C'est comme ça qu'ils procèdent, et du coup ça leur permet de négocier. Est-ce que c'est juste ? Dans un monde parfait, je dirais non. Mais essaye de le trouver, ce monde.

– Et en échange, je fais quoi ?

– Tu plaides l'état d'ébriété sur la voie publique.

– Coupable.

– Coupable du chef d'accusation.

– Je pensais que j'y couperais.

– Tu y coupes. J'y viens. Parce que ce que tu vas faire, c'est revenir sur ce que tu as dit et solliciter une Réhabilitation Accélérée, et ils ne discuteront pas. Donc aucune condamnation retenue si tu suis le truc prescrit. À savoir une demi-douzaine de cours sur l'alcool et tout ce qui va avec.

– C'est la meilleure solution pour moi.

– Et une bonne solution, je pense.

– J'étais en état d'ébriété.

– Tu l'étais, assurément. Sinon pourquoi débarquer chez quelqu'un que tu ne connais absolument pas ?

– Mais ce n'était pas une violation de propriété privée.

– Je viens de le dire, ça.

– Parce qu'ils me l'ont demandé, dans la maison. Quand j'ai dit que j'allais faire un tour de magie, ils ont dit : "D'accord, fais-le."

– Et puis sape-toi un peu pour le tribunal. Ça c'est l'autre chose. Habille-toi comme ton père s'habillait. C'était un type toujours impeccablement fringué, et un sacré type.

– Ouais.

– Tu sais, j'ai eu de la peine quand ils sont morts. Et puis ensuite j'y ai réfléchi, et je me suis dit que finalement c'est peut-être le mieux. Partir ensemble, je veux dire.

– Beaucoup de gens ont dit ça, fit Pierre. Et je me demande si ce n'est pas vrai. »

Ils baissèrent la tête. Des pieds de chaises raclèrent sur le sol carrelé et le procureur traversa la pièce en faisant craquer les articulations de ses doigts.

« Il y a un truc qui m'échappe, dit-il. Qu'est-ce qui motive quelqu'un à raquer une mise de vingt dollars alors que j'ai un brelan de rois en main et que je me fais baiser par une putain de quinte qui sort de nulle part ?

– Je ne sais pas, répondit l'avocat de Pierre. La manière dont certains jouent, ça défie la logique.

– Je veux dire, des rois ? Enfin. On ne peut pas *ne pas* les jouer.

– Non, je suis d'accord avec ça. Des rois, ça se joue. Dis, je te présente Pierre Hunter.

– Ah, bien sûr. La violation de propriété privée. Vous êtes avec nous sur ce coup, histoire qu'on puisse tous continuer à vivre nos vies ?

– Ouais. C'est honnête.

– Des rois », répéta le procureur, qui ne se remettait pas de la façon dont il avait perdu sa main.

Pierre quitta le club-house, ouvrit le coffre de sa voiture et en sortit les patins à glace. Il marcha jusqu'au ruisseau gelé et s'assit sur la passerelle pour les enfiler. Ensuite il noua ensemble les lacets de ses grosses chaussures, qu'il suspendit à ses épaules. Il patina sur le ruisseau, vers l'est. Il allait s'habiller correctement et ne pas la ramener au tribunal. Les éléments à charge lui dictaient l'humilité. Cependant il n'était pas inquiet. Quand il faisait des bêtises, il avait l'art de tourner la page, comme si la personne qui les avait commises lui était inconnue. Et c'était tout aussi bien, songeait-il, car on ne revenait pas sur ce qui avait été fait.

Le ruisseau sinuait à travers le terrain de golf, traversait un champ de buissons et des collines basses, puis descendait vers la rive nord du Lac de Verre. Pierre arriva sur le lac et partit au sud. Le lac s'étendait en longueur, entouré de collines grises et d'à-pics jaunes, et il prit de la vitesse grâce au vent et à la longue étendue plane argentée de la glace. Ce n'était pas un grand patineur, mais, de filer ainsi en ligne droite, il se sentit fort et athlétique.

Le retour évidemment serait une autre paire de manches, mais il n'aurait pas à le faire parce que le Valet de Carreau n'était pas loin de la rive sud du lac, et il pouvait aller à pied du lac à la taverne, comme il l'avait fait souvent, et se faire ramener à sa voiture par quelqu'un en fin de soirée.

Au milieu du lac, un vent contraire soufflait de l'ouest, des petits panaches de vieille neige sèche s'élevaient et retombaient, et le vent effeuillait les pages gonflées et piquetées d'un magazine étalé sur la glace. *Popular Mechanics*, avisa Pierre en passant à côté. Cela paraissait bizarre. Il revint sur ses pas en décrivant un grand cercle pour voir ce qu'il y avait sur la couverture. C'était un article sur le plan top-secret du gouvernement américain concernant les OVNI s'il devait en venir.

Il se trouvait que Pierre avait vu un OVNI quand il était jeune. C'était une soucoupe volante de type classique avec des lumières sur tout le périmètre, elle frôla la maison des Hunter et parut plonger derrière une rangée de silo à grain au bout de la route. Personne ne le crut. Pourquoi l'aurait-on cru? Le lendemain il chercha des traces d'atterrissage, sans succès. Mais il s'était intéressé aux extra-terrestres depuis lors et ne tenait pas à savoir ce que le gouvernement américain leur réservait.

Donc il poursuivit son chemin, plantant les lames de ses patins et relevant les bras pour accroître la prise au vent de son manteau.

Pierre rencontra la mauvaise glace à l'extrémité sud du lac. Elle lui arriva dessus, ou il lui arriva dessus, sans prévenir. Parfois, en raison de la lumière, il y a des ombres qu'on ne voit pratiquement que lorsqu'on est dessus. Il ne s'inquiétait jamais trop de la solidité de la glace car elle avait toujours été suffisamment épaisse. Il avait patiné de nombreuses fois sur de la glace sombre sans que ça lâche jamais.

Cette fois-ci cependant il tenta de rebrousser chemin, car il vit que la zone où il s'était avancé était profonde et ne présageait rien de bon, l'entourant de trois côtés. Mais il arriva trop vite. L'arrêt brusque avec gerbe de glace était une manœuvre au-delà de sa maîtrise technique. Il parvint certes à se retourner, mais pas complètement, et le vent le repoussa en arrière, dans la zone où la glace était fine. Il n'y eut ni grondement ni craquement, rien de l'effondrement lent auquel on s'attendrait. Au lieu de cela la glace céda d'un coup, et Pierre disparut dans l'eau.

Plus de lumière, et il sentit le froid avant de comprendre ce qui était arrivé, aussi évident que ce fût. Il eut davantage une impression de feu que de glace, comme si sa peau se craquelait en morceaux. Il n'avait rien sur quoi prendre appui. Ses grosses chaussures flottaient au-dessus de son épaule et venaient taper contre son visage.

À force de donner des coups de pied et de se débattre, il refit surface au bout d'un certain temps, nagea jusqu'à l'endroit où la glace avait cédé et posa les bras dessus. Elle paraissait assez solide. Il resta accroché là, à respirer fort en regardant autour de lui. C'était une journée paisible sur le lac. Des cabanes de pêcheurs se dressaient au loin comme des vestiges archéologiques. Quelque part au-delà des promontoires une autoneige vrombissait progressant par à-coups.

Son visage exposé au vent était glacé. D'une manche trempée il essuya l'eau qu'il avait sur la figure. Ce qui ne l'avança pas à grand-chose. Il lui sembla que s'il arrivait à se rétablir sur ses bras, il pourrait tout simplement glisser tête la première sur la glace. Il essaya donc, mais tandis qu'il s'extirpait de l'eau et mettait du poids sur les avant-bras, la glace rompit à nouveau, et il se retrouva dans l'eau une fois de plus. Par trois fois il renouvela l'opération et par trois fois il dut batailler pour regagner la bordure de glace qui s'était éloignée. Il tenta ensuite de faire passer une jambe sur la glace, se disant qu'il pourrait peut-être s'arranger pour qu'une lame accroche. Mais l'atterrissage de son pied fit que la glace cassa encore. Il ne faisait qu'agrandir la surface d'eau à découvert.

Au bout de vingt minutes il avait trop froid et était trop épuisé pour continuer à se hisser et briser la glace. Il envisagea d'appeler à l'aide, mais cela lui parut si près de l'échec qu'il s'y refusa. Il ne voulut pas faire de bruit. Il resta appuyé sur la glace et regarda la lumière s'estomper dans le ciel.

Pierre entendit quelqu'un demander si ça allait. Il leva la tête. Une femme en long manteau orange et capuche doublée de fourrure se tenait à quelque distance, sur la glace. Elle avait un rouleau de corde, un maillet et un pieu.

« Tenez bon », lança-t-elle.

Elle fit tomber la corde, s'agenouilla et planta le pieu dans la glace, selon un angle opposé à Pierre. Elle prit le pieu à deux mains pour voir s'il tenait bien, puis enroula trois fois la corde jaune et orange, et l'arrêta par un double nœud.

Elle se releva et marcha vers lui, déroulant petit à petit la corde sur la glace.

« N'approchez pas plus, lança Pierre.

– Non non. »

À huit mètres environ elle s'arrêta et lança le reste de corde dans sa direction. Il fallut plusieurs essais avant que la corde ne tombe à portée de main de Pierre.

« Accrochez-vous bien », dit-elle.

Il attrapa la corde, l'empoigna solidement. La femme au manteau orange revint sur ses pas, avala le mou et l'enroula autour du pieu. Puis elle se plaça de côté derrière le pieu, cala le pied gauche contre le pieu, et commença à tirer sur la corde. C'est ainsi que Pierre atteignit enfin de la glace suffisamment résistante, il se glissa dessus, se retourna sur le dos et resta là, à contempler le ciel.

« Ne vous relevez pas, dit la femme. Essayez de rouler pour vous éloigner de l'eau. Il faut répartir votre poids. »

Pierre obéit. Ses grosses chaussures, encore arrimées à l'épaule, le gênaient, si bien qu'il s'en débarrassa et les fit glisser loin de lui. Transi et épuisé, il se sentit quand même un peu ridicule à rouler lentement sur le lac. Ensuite il se leva, récupéra les grosses chaussures et marcha jusqu'à elle sur les lames de ses patins.

« Merci, dit-il.

– J'étais là-haut sur la colline et je vous ai aperçu en train de patiner, dit-elle. Ensuite à cause des arbres je vous ai perdu de vue, mais j'ai repéré à quel endroit vous deviez réapparaître, sauf que vous n'êtes pas réapparu. »

Elle commença à replier la corde et Pierre regarda le pieu, une barre en fer pour béton armé recouverte de résine époxyde rouge.

« Vous avez déjà fait ça ? demanda-t-il.

– Non. Mais j'ai réfléchi à la manière dont je m'y prendrais. »

Elle chargea la corde sur son épaule, prit le maillet et enfonça le pieu à travers la glace jusque dans l'eau.

« Allons-y », dit-elle.

Ils marchèrent jusqu'à la rive en restant à bonne distance de la nappe de glace recouverte d'eau. Elle dit qu'elle s'appelait Stella Rosmarin et qu'elle habitait une maison sur la falaise. Ils traversèrent la plage étroite et arrivèrent à une volée de marches en pierre qui montaient d'est en ouest en travers de la paroi rocheuse. Pierre s'assit pour enlever les patins trempés et les remplacer par ses grosses chaussures qui étaient dans le même état. Il lui dit son nom. Puis ils montèrent.

C'était une maison jaune à un étage dans une clairière, à une centaine de mètres du précipice. Il y avait comme des châssis de givre aux fenêtres et tout autour se dressaient des conifères aux sombres branches séparées par le poids de la neige.

Ils entrèrent dans la maison se mettre au chaud et Stella enleva sa capuche, retira son manteau et le suspendit à un dossier de chaise dans la cuisine. Pierre avait imaginé qu'elle serait belle – par réflexe, comme c'était le cas lorsqu'il entendait des voix de femme à la radio – mais il n'était pas préparé à ce qu'elle fût si belle.

Mince, en tee-shirt thermolactyl et pantalon de velours côtelé vert foncé. Hanches rondes, taille fine. Épaules superbes, délicates et néanmoins volontaires, telles des ailes. Des bras robustes – comme il avait eu le loisir de le constater. Un cou long et gracieux. Une épaisse chevelure brune qui lui tombait dans le dos. Une bouche charnue, grave. Des yeux sombres. Une blessure ou de l'inquiétude dans le regard, qu'il n'arrivait pas à situer.

Il resta là à l'admirer, avec l'eau qui gouttait de son manteau en laine autour de ses pieds.

« Il faut que vous ôtiez tout ça, dit-elle.

– Je pourrai me changer au bar, dit-il. Mais je veux bien que vous m'y accompagniez en voiture si vous pouvez.

– Je n'ai pas de voiture, dit-elle.

– Avez-vous un sèche-linge ? »

Elle lui montra la petite pièce où se trouvaient la machine à laver et le sèche-linge. Il ferma la porte, se déshabilla et mit son manteau et ses vêtements dans le sèche-linge. Il y avait une grande serviette verte dans un panier en osier et il s'essuya avec.

Puis elle lui passa un peignoir blanc par la porte, il l'enfila, serra le cordon et mit la serviette autour de son cou, comme un millionnaire à la coule dans un club de remise en forme. Le peignoir était épais et doux, il avait la même odeur que l'intérieur d'une peau d'orange. Il lui vint à l'esprit qu'elle l'avait porté, et qu'à présent c'était lui qui l'avait sur le dos, et donc c'était comme s'il la touchait, indirectement.

Ils burent du thé et du whisky à la table de la cuisine tandis que ses vêtements tournaient dans le sèche-linge et que ses grosses chaussures dégageaient de la vapeur dans le four.

« Je crois que je vous ai sauvé la vie, Pierre, dit-elle.

– Je crois bien, oui.

– Il ne faut jamais patiner tout seul. »

Sur la table se trouvait un bonsaï dans un plateau de terre cuite avec de petits galets, de la mousse et de minuscules branches qui penchaient sur le côté, comme soufflées par le vent.

« Et je vous dois une fière chandelle, dit Pierre, un service que moi seul pourrai vous rendre.

– C'est comme ça que ça marche ?

– Vous ne croyez pas ? Dans les histoires, en tout cas.

– Et alors qu'est-ce que ça pourrait être ?

– Vous ne pourrez pas le savoir jusqu'à ce que ça se produise, dit Pierre. Un messager arrive : *Votre cheval vous attend*. Vous savez. *Il est temps à présent*.

– Vous montez à cheval ?

– Non. Mais d'un coup vous sauriez. Vous vous rendriez compte que vous savez. Ou pas, et dans ce cas vous vous casseriez la figure.

– Vous êtes peut-être en hypothermie, dit-elle.

– Quels sont les symptômes ?

– La confusion, ça je le sais.

– En fait, je me sens plutôt bien.

– Moi aussi.

– Vous habitez tout le temps ici ? demanda-t-il.

– Oui.

– Ça semble calme.

– On m'a laissé cet endroit, dit-elle. J'arrivais du Wisconsin, c'était l'été dernier. J'avais besoin d'un endroit où me poser, et il n'y avait personne ici, alors ça m'a paru logique.

– Pourquoi avez-vous eu besoin d'un endroit où vous poser ?

– Oh, c'est une longue histoire. Je vous la raconterai peut-être un jour.

– Comment faites-vous pour vous déplacer sans voiture ?

– Je ne me déplace pas, pas beaucoup, dit-elle. J'ai une bicyclette.

– Pas très utile à cette période de l'année.

– Non, c'est vrai. Je me fais livrer mes courses, le facteur vient jusqu'ici, et le gars qui relève les compteurs, mais il ne vient pas très souvent, comparé au facteur.

– Vous me semblez bien seule.

– Je le suis, mais ça ne me gêne pas trop. Je suppose qu'on pourrait dire que j'ai attendu.

– Attendu quoi ? »

Elle pencha la tête pour souffler la vapeur que dégageait le thé, tout en tenant la tasse entre ses deux mains.

« Je ne sais pas, dit-elle. Vous peut-être. De vous sortir du lac. »

Le sèche-linge termina son cycle, Pierre s'habilla, dit au revoir à Stella et quitta la maison. L'allée de son garage serpentait entre les arbres jusqu'à la Route du Lac, où il tourna au sud en direction du Valet de Carreau. Il faisait noir. Ses habits étaient secs, et ses grosses chaussures qui lui avaient semblé suffisamment sèches dans la cuisine, chez Stella, étaient en fait mouillées et froides, et il tapa des pieds sur la chaussée pour les réchauffer.

Il faudra que je retourne la voir, songea-t-il.

QUATRE

Le Valet de Carreau était un bâtiment assez bas, fait de madriers sombres assemblés par encastrement, aux fenêtres carrées jaunes, qui se détachait sur le talus boisé. Pierre passa sur le côté, entra par la cuisine, descendit au sous-sol, où il avait un casier avec des chaussettes sèches et des baskets. Il les enfila et remonta.

Chris Garner et Larry Rudd étaient assis au bar. Ils venaient trois ou quatre fois par semaine boire de la bière et discuter d'obscurs sujets et d'ustensiles du quotidien, tels que les tondeuses à lame rotative ou les broyeurs à ordures, qui étaient plus dangereux qu'on ne le pensait communément. Ils avaient tous deux passé la cinquantaine et joué dans la même équipe de basket qui avait failli se qualifier pour le championnat de l'État, il y avait de cela bien des années. Rudd était maintenant propriétaire de magasins d'aspirateurs et Garner vendait des chaussures.

Pierre réarrangea les bouteilles d'alcool pendant qu'ils discutaient. Il les regroupa par couleur, ce que les autres barmen jugeaient peu professionnel, parce que des gins bleus se retrouvaient à côté de vodkas bleues, par exemple, mais c'était comme ça.

« Oh, on l'a regardé, dit Rudd. La bourgeoise et moi, bien confortables au bercail. On a regardé tout le film. Mais si c'est censé être sexy, je sais pas, y a quelque chose qui doit m'échapper.

– À cause des masques, dit Garner.

– Ouais. On pouvait pas savoir qui était qui.

– Mais c'est l'idée, n'empêche, non ? L'anonymat. Comme quoi ça tendrait à rendre les choses plus excitantes.

– De pas savoir comment est quelqu'un ? fit Rudd. Qu'est-ce qu'il y a d'excitant à ça ?

– Eh bien, ça dépend du masque, j'imagine. Si c'était comme celui que portait le Justicier solitaire, t'aurais quand même une assez bonne idée de l'aspect général.

– Nan, ceux qu'ils avaient leur cachaient toute la figure. Ils étaient censés être – je sais pas quoi. Des chats. Des esprits du passé. Je crois que c'étaient des oiseaux. De grands messieurs et de grandes dames.

– Des créatures effrayantes, suggéra Garner. À, genre, un bal ou je sais pas.

– Eh ben, là encore, c'était peut-être l'intention. Mais moi j'ai trouvé ça pas du tout vraisemblable.

– Peut-être que c'est différent pour les jeunes, dit Garner. Pierre, tu en dis quoi, toi ?

– Quelle est la question ? demanda Pierre.

– Est-ce que tu coucherais avec une femme sans savoir qui c'est, juste parce qu'elle porte un masque ?

– C'est ce que tu demandes.

– Rudd a vu un film là-dessus.

– Je ne sais pas.

– Mais tu pourrais peut-être.

– C'est possible.

– Pierre, quelle bête de sexe.

– Je vous ressers quelque chose, messieurs ? »

Pierre tira deux bières, enleva la mousse, remplit les verres jusqu'en haut, et les posa sur le bar.

« Le visage c'est une sorte de masque, de toute façon, quand on y réfléchit », dit-il.

Rudd but une gorgée et reposa le verre. « On devrait jamais rien demander à Pierre.

– Ta figure, ce n'est pas toi qui la fais, dit Pierre. Elle t'est donnée. On peut toujours penser qu'elle représente votre moi authentique, mais pourquoi en serait-il ainsi ? La moitié du temps vous adoptez une expression en pensant : Ah, c'est telle ou telle de mes expressions, et pourtant personne n'a la moindre idée de ce que vous pensez.

– C'est vrai, dit Garner. Je sais pas du tout comment les autres me voient.

– C'est pas plus mal, dit Rudd. Enfin bref, donc on finit de regarder ce film de sexe avec tous les masques, je vais dans la cuisine, et il y a de l'eau dans l'évier. Alors qu'est-ce que je fais ? Je mets en marche le broyeur d'ordures, d'accord, vu que c'est le seul moyen de vider l'eau. Et c'est là où je suis pas d'accord : qu'on puisse pas tirer une simple bonde, qu'on soit obligé de mettre en branle l'équivalent d'un moteur de hors-bord pour évacuer la putain de flotte de l'évier – et là qu'est-ce qui gicle d'un coup ? Un énorme tesson de verre bleu. J'ai eu du bol de pas y passer. »

Pierre annonça la fin du service à une heure avancée de la nuit, et chacun rentra chez soi, sauf Chris Garner. Le vendeur de chaussures vivait seul et repartait souvent le dernier. Il était assis à une table près du bar avec un Rusty Nail qu'il sirotait depuis un bon moment. Pierre alla mettre les fûts au frais dans la réserve, puis passa derrière le bar, où il fit sa caisse.

« Est-ce que tu crois au destin, Chris ? demanda-t-il.

– Au destin.

– Ouais. Que quand les choses arrivent c'est qu'il y a une raison.

– Des fois. Comme quand ta voiture démarre pas, et tu avais laissé les phares allumés, bah c'est probablement ça la raison.

– Non, ça ce n'est pas le destin.

– J'ai pas dit que ça l'était.

– Le destin c'est davantage de laisser tes phares allumés dans le but que la voiture ne démarre pas.

– Qui est-ce qui ferait ça ?

– Personne, délibérément. Sauf si quelque part ça devait arriver.

– Alors non. Je serais obligé de dire que j'y crois pas. Mais toi tu dois y croire, sinon tu aurais pas abordé la question.

– Je ne sais pas trop.

– Tu devrais demander à Rudd. Il saurait, lui.

– Ouais?

– Ou sinon il inventerait un truc. »

Terry Benton, le propriétaire du Valet de Carreau, arriva à minuit et demi. Son histoire était de celles qu'on lit de temps en temps. Il avait gagné beaucoup d'argent en tant que concepteur de réseaux informatiques dans l'Oregon et avait pris sa retraite neuf ans plus tôt, à l'âge de quarante-quatre ans, pour revenir dans le Midwest et monter un club-bar-restaurant. Son idée avait été de recréer un Valet de Carreau à l'image de celui qui avait existé à Eden Center, et dont il se souvenait depuis l'enfance.

« Pas eu de problèmes, ce soir? demanda-t-il.

– Non non, répondit Pierre.

– Ça a bien marché?

– Mieux que dimanche dernier.

– Dimanche dernier c'était pas mal.

– Ouais, donc… bien, alors. »

Terry étala son manteau en poil de chameau le long du bar, s'assit, et se retourna pour contempler la salle. Sa carrure était trompeuse – il était large d'épaules mais pas très épais, comme s'il avait été aplati sous un rouleau compresseur de dessin animé. « Ils te plaisent les sièges?

– Je crois bien, oui, dit Pierre. Pourquoi?

– Je sais pas. J'ai des doutes sur le vinyle rouge.

– Tu mettrais quoi, du bois?

– J'y réfléchis.

– On peut difficilement se tromper avec du bois, dit Pierre.

– Le rouge serait peut-être trop chargé.

– Je suis tombé dans le lac aujourd'hui.

– Ah bon?

– Je patinais.

– Moi, on risque pas de m'y prendre sur ce lac.

– Pourquoi ?

– Pourquoi ? Parce qu'on tombe dedans, pardi. C'est quoi, son problème, à Garner ? »

Pierre haussa les épaules et fronça les sourcils.

Terry se fraya un chemin entre les tables, en agitant les bras et en frappant dans ses mains. « On va rentrer à la maison, Chris.

– D'accord, d'accord », dit Garner. Il se leva et enfila son pardessus. Il ajusta les revers, secoua la tête et marcha avec Terry jusqu'à la porte. « Tu aurais bien besoin de chaussures neuves, dit-il. Passe donc, un de ces quatre.

– Je passerai peut-être, oui. Mais dis-moi. Qu'est-ce que tu penses des sièges ?

– Je les trouve très bien, Terry. »

Terry avait beaucoup investi dans son « club ». Il avait équipé la cuisine avec des appareils Ramhold-Bailer, avait débauché le chef Keith Lyon du Chanticleer à Austin, Minnesota, et avait commandé des peintures murales à un artiste. Dans le style de Grant Wood, elles représentaient la campagne environnante comme un rêve myope où toute chose eût été plus soyeuse, plus verte et plus discrète que dans la vie. Le bar lui-même était en merisier, solide comme de la pierre.

Terry avait souhaité une ambiance feutrée, car c'est ainsi qu'il se rappelait l'original, mais il voulait aussi un restaurant populaire, et il semblait ouvert quant à la manière d'atteindre cet objectif.

Cette attitude trouvait une illustration parfaite dans sa réaction à l'incident dit « du lavabo et du panneau ». Un soir tard, environ un an plus tôt, un homme à qui on avait interdit de continuer à boire alla dans les toilettes hommes et arracha le lavabo du mur. Il lui fut interdit à vie de remettre les pieds au club, mais l'histoire ne s'arrêta pas là. Deux jours plus tard un panneau fit son apparition dans le fossé longeant la Route du Lac qui menait au Valet de Carreau. On pouvait y lire une inscription à la peinture noire sur du contreplaqué blanc :

À TROIS KILOMÈTRES
LA MAISON DU GRAILLON

En tout cas, il n'y avait aucun doute quant à l'identité de celui qui avait installé le panneau. C'était à l'évidence l'homme qui avait détruit le lavabo et inondé les toilettes hommes. Et à leur réunion hebdomadaire, la plupart des employés s'accordèrent pour dire qu'il fallait arracher le panneau et s'en débarrasser.

Mais Terry dit : « Réfléchissons. »

Il dit : « Nous n'avons pas peur de cette accusation. Elle est risible. Il se trouve que le cuistot du Valet est Keith Lyon, sans doute le meilleur chef cuisinier de toute la Contrée Immobile. »

Terry incitait toujours les gens à appeler le Valet de Carreau « le Valet », car il estimait que ça faisait plus branché, plus engageant.

« Et dis pas le contraire, Keith, parce que tu sais que j'ai raison. Ce truc à l'agneau que tu cuis à la braise, je sais plus ce que c'est, il y a eu un article élogieux dans le magazine. »

Keith était assis au bar, à boire du vin blanc. Il pouvait être impitoyable quand quelque chose clochait en cuisine mais sinon c'était plutôt quelqu'un de paisible et d'indécis. « Agneau à la primitive, dit-il.

– Exact. Alors je vous pose la question. La maison du graillon ? La bonne blague. Est-ce que ce ne serait pas plus cool de ne pas répondre ? Si on ne daignait même pas répondre ?

– Je trouve que c'est une insulte », dit la serveuse, Charlotte Blonde.

Malgré son nom, Charlotte était brune. Elle avait commencé comme serveuse pour payer ses frais de scolarité à l'Institut universitaire de technologie, mais elle avait été mise enceinte par un chargé de TD et les frais de scolarité avaient augmenté, et maintenant elle avait une fillette en bas âge et un boulot à temps plein.

« Et puis ça pourrait ajouter un petit quelque chose à notre statut culte, dit Terry Benton. Quel genre d'établissement se permettrait d'ignorer un tel panneau comme s'il n'existait pas ? Un endroit cool, moi je dirais. Un endroit qui a rudement confiance en sa propre valeur.

– Pour ce qui est du panneau, dans un sens comme dans l'autre, je m'en fiche, dit Keith Lyon. Je suis pas sûr qu'on ait un statut culte, mais pour moi le panneau c'est pas vraiment un problème, parce que de toute façon c'est pas par là que je passe pour venir.

– Bon, d'accord, concéda Terry. Si on n'a pas un statut culte, voilà qui risque de nous en donner un. »

Voilà pourquoi le panneau en contreplaqué peint avec l'amertume du client expulsé se trouve toujours sur la route du Lac de Verre à Shale. Il a été modifié cependant. On peut maintenant y lire :

À TROIS KILOMÈTRES
LE VALET DE CARREAU

Le juge chargé de l'affaire dans laquelle Pierre était accusé semblait jeune et perdu dans sa robe de magistrat. Elle était noire et luisante comme un poncho sous la pluie, et il n'arrêtait pas de remonter ses manches pour qu'elles n'entravent pas ses mouvements de mains.

C'était un de ces juges qui mettaient un point d'honneur à en savoir le moins possible sur les affaires qu'il avait à traiter. Il énonçait les faits de manière complètement erronée et comptait sur les avocats pour rectifier et, en général, paraissait contrarié d'avoir à gérer autant de dysfonctionnements sociétaux.

Mais il était juge, se dit Pierre, et avait dû aspirer à le devenir, alors à quoi s'était-il attendu ?

Évidemment que les gens au tribunal avaient des problèmes. Sinon ils ne seraient pas là.

Les avocats répondaient à la confusion perpétuelle du jeune juge par une déférence frôlant le sarcasme, usant de formules telles que « Plaise au tribunal » et autres « Si Votre Honneur veut bien se donner la peine de prendre connaissance du document mis à sa disposition », jusqu'à ce qu'on se dise que rien de productif n'était jamais sorti d'ici, ou alors, uniquement parce que les choses avaient été préparées en amont, comme dans le cas de Pierre.

« J'ai là ce qui me semble être une proposition de compromis entre le procureur et l'avocat de la défense pour requalifier le chef d'accusation, dit le juge. Mais je vais vous dire tout de suite que je ne suis ni tenu – ni, par ailleurs, disposé – à l'accepter. »

L'avocat de Pierre se pencha vers lui, charriant au passage un nuage d'eau de Cologne évoquant la boutique cadeaux d'un hôpital en faillite. Le reflet des néons s'incurvait sur les immenses verres de ses lunettes. « Ne t'en fais pas. Il est obligé de dire ça. C'est juste à l'intention des gens qui sont sur les sièges bon marché. »

« En état d'ébriété, l'accusé a interrompu une soirée, annonça le juge. Il ne le conteste pas. Il n'exprime aucun remords. C'est un acte hostile tâchant de se faire passer pour de la négligence, et ce tribunal n'accepte pas ce genre de choses. En outre, si la Réhabilitation Accélérée est réservée aux cas exceptionnels – et nous sommes d'accord là-dessus, comme je crois le deviner – alors —

– Votre honneur, si je puis me permettre d'intervenir, fit l'avocat de Pierre. Mon client n'a pas interrompu une soirée. La soirée, pour autant que je sache – euh, s'est poursuivie pendant plusieurs heures. Et il est accablé de remords. S'il ne les a jusqu'alors pas exprimés, cela est dû au simple fait que personne ne le lui a demandé ni ne lui a offert de tribune pour s'exprimer. »

Le juge s'empara des papiers sur son bureau, en consulta un, l'écarta, en regarda un autre, plissa les yeux en se renfrognant. « Où se trouve l'acte d'accusation ? »

« Alors maintenant il s'est *introduit* dans une soirée. »

Tout en continuant de manipuler des papiers, le juge dit, comme à lui-même : « Il s'est introduit dans une soirée. Ma foi, je suis désolé de vous le faire remarquer, mais cela n'est pas interdit.

– Il est entré dans une maison où se déroulait une soirée, dit le procureur. En vertu du fait qu'ils n'avaient pas fermé leur porte à clé, comme cela se fait en toute logique lorsque l'on organise une soirée, les propriétaires de la maison, des citoyens respectueux des lois, ont subi à leur corps défendant l'intrusion à laquelle l'accusé n'a pas daigné renoncer, si ce n'est quand bon lui a semblé.

– Est-ce vrai, Pierre ?

– Plus ou moins, répondit Pierre, mais je suis parti.

– Il n'y a pas eu de violence ? À quoi cela me fait-il penser ? Y a-t-il eu un autre cas comme celui-ci ?

– Si vous me permettez de vous en faire la lecture, continua le procureur. Je cite ici le rapport de police. "Quand on lui demande pourquoi il ne veut pas s'en aller, l'individu répond qu'il a besoin d'un peu de temps et demande qu'on le laisse faire son tour de magie avec des pièces de monnaie, sinon il ne s'en ira pas."

– "Pourquoi il ne veut pas s'en aller…", répéta le juge.

– Votre Honneur, si je puis me permettre un tout petit commentaire, intervint l'avocat de Pierre.

– Non, je ne pense pas que vous puissiez vous le permettre, fit le juge. Un tour de magie avec des pièces ? Est-ce vraiment pour cela que nous sommes ici ? Dois-je comprendre que nous parlons d'un tour de magie ?

– C'est dans la déclaration par écrit sous serment, dit le procureur. Mais je ferai valoir que ce n'est pas tant ce qu'il a fait dans la maison qui importe. Un simple tour de cartes, oui peut-être. Mais est-ce que cela signifie pour autant que quiconque entré par effraction chez quelqu'un sera exempt de poursuites si tant est qu'il insiste pour réaliser un —

– Alors maintenant attendez, c'est un tour de cartes ou un tour de magie avec des pièces de monnaie ? demanda le juge.

53

– Je suis navré, vous avez raison ; il s'agit d'un tour avec des pièces.

– Et l'accusé souhaiterait-il faire la démonstration de ce tour pour la cour ?

– Non, Votre Honneur, répondit Pierre.

– Et, vous savez, c'est sans doute sage de votre part. »

Le juge trouva le papier qu'il cherchait, l'aplanit avec la tranche de la main et le signa.

« Je vais accepter l'accord suggéré par le procureur et l'avocat de la défense, dit-il. Vous savez que ce n'est pas de gaieté de cœur, cependant par ma signature je l'ordonne. »

Réhabilitation Accélérée avait une consonance scientifique, comme si Pierre allait être « réhabilité » de plus en plus vite selon une trajectoire elliptique jusqu'à s'évaporer en un éclair bleu de pure santé mentale.

Au lieu de cela il intégra une classe d'assistance psychologique qui se réunissait une fois par semaine dans une maison rouge de style victorien à Desmond City, et ce pendant dix semaines, au printemps et durant l'été. Le conseiller psychologique avait une queue-de-cheval noir et gris et une boucle d'oreille en or, il portait des chemises bleu pâle ou jaunes aux manches courtes volumineuses, et de manière générale son allure semblait calculée pour les désarmer par son mélange d'influences.

Pierre trouva le cours laborieux et hypocrite. Il y avait dans la salle où ils se retrouvaient un papier peint vert délavé au motif oppressant de plantes grimpantes, et la boîte de mouchoirs en papier pour les éventuelles crises de larmes ne pouvait qu'être considérée comme grotesque. Cela dit il ne pouvait s'en prendre qu'à lui-même s'il était là, et il ne pourrait pas dire qu'il n'avait rien appris.

Un soir la classe se rendit dans un auditorium à l'hôpital pour assister à une table ronde où intervenaient des gens dont un membre de la famille était mort dans un accident imputé à l'ébriété. Ils évoquèrent les accidents et la manière dont on leur avait appris la nouvelle – un coup de fil, quelqu'un venu frapper à leur porte –, les choses laissées par le défunt qu'ils ne pouvaient supporter de voir, et il perçut parfois dans leurs voix un chagrin incontestable. Il pensa au vide infini des nuits qui les avait amenés à venir ici parler raisonnablement à des gens qui, dans le fond, se tenaient à la place des assassins. Et il ne savait pas comment ils faisaient.

Une autre fois tout le monde dans la classe dut choisir un endroit sur la route où un accident mortel avait eu lieu, et rédiger une dissertation sur le sujet.

Il y a un certain nombre de ces balises de fortune sur les petites routes de la Contrée Immobile. Il est difficile de leur rendre justice quand on ne fait que passer en voiture en temps normal. On les remarque un instant; puis elles se fondent dans le décor tandis que les intempéries altèrent leur éclat.

Et donc, un matin de mai, Pierre gara sa voiture au nord de Midlothian où une jeune femme ayant fréquenté son lycée était morte dans un accident de voiture.

Une voiture conduite par un homme de Lansville avait franchi la ligne blanche centrale et heurté latéralement sa voiture, l'envoyant percuter un arbre. Cela s'était passé trois ans plus tôt, elle avait dix-neuf ans, et désormais elle aurait toujours cet âge.

Il y avait une croix décorée de colliers, et les gens avaient déposé au pied des flacons de parfum, des fleurs et des pierres polies. Pierre s'assit dans l'herbe avec un bloc de papier jaune et un crayon de papier. Il regarda la route. Une nuée de merles plongea et se dispersa par vagues vers l'Est, leurs ailes embrasées d'un éclat rouge. C'était tellement calme qu'il put presque entendre la voix douce et ronde de la fille du lycée. Mais ses mots n'étaient pas clairs et il dut les inventer :

Aujourd'hui vous apportez des fleurs et des cailloux lisses, bien polis, qui n'aident que vous. Où étaient les cadeaux quand j'étais vivante ? J'ai eu droit à une rose jaune au bal une fois, mais elle s'est brisée et j'ai marché dessus en essayant de la ramasser. Certains disaient que je devais être dans un état second pour piétiner ma rose de la sorte, mais je savais qu'il devait y avoir un remède contre ce terrible malaise des jeunes. Cette fois en cours d'histoire des États-Unis, par exemple, où j'ai fait l'erreur de dire : « Des dizaines de milliers de familles rassemblèrent leurs maigres biens et se mirent en route pour le territoire de l'Oregon dans un seul chariot bâché. » Je me rends compte maintenant de l'effet que ça a dû faire. Et vous avez rigolé, d'abord un petit nombre d'entre vous et ensuite beaucoup, pourtant vous saviez ce que je voulais dire, parce qu'on avait tous lu le chapitre. Les rires blessent, vous ne pouvez pas imaginer à quel point. Alors quand vous passez en voiture, vous vous dites peut-être : Comme c'est joli, comme c'est triste ; et vous pensez que quelque chose a été réglé, eh bien je peux vous dire que non. Faites-moi revenir si vous voulez m'aider. Je serai la revenante. Ce serait bien si c'était possible. Je m'exprimerais en public et prendrais position contre l'alcool et les voitures. Tout ce que vous voudriez que je dise. Ici il n'y a que les oiseaux et le soleil et les sauterelles qui s'élancent dans les airs. C'est étrange que ceci finisse par être chez moi alors que je n'y ai été que si peu de temps.

« Bien, Pierre, je sais que depuis le début vous êtes réticent vis-à-vis de ces séances, dit le conseiller psychologique. C'est manifeste. Et puis vous êtes barman. Vous êtes concerné au premier chef. Mais cette dissertation. Cette dissertation est bizarre, tout de même.

– Ah bon ?

– Pour un certain nombre de raisons, ouais. Mais je ne vais en retenir qu'une seule. Vous dites qu'elle s'en prendrait aux voitures.

– Exact. »

C'était le dernier jour de cours, et le conseiller conduisait un entretien individuel avec chacun des élèves pour leur annoncer s'ils avaient réussi ou s'ils devaient s'acquitter d'une session supplémentaire. Lui et Pierre étaient dans le bureau de la direction, le conseiller était assis derrière le bureau, il tripotait sa boucle d'oreille et tapotait lentement avec un épais stylo plume noir contre son écritoire à pince.

« Pourquoi les voitures ?

– Eh bien, il me semble que si on supprimait les voitures, nombre des problèmes que les gens ont avec l'alcool disparaîtraient. Je veux dire, ils auraient peut-être d'autres problèmes, mais ils seraient moins susceptibles de tuer quelqu'un.

– Comment se déplaceraient-ils d'un endroit à l'autre ?

– Je veux dire, les voitures qu'on a aujourd'hui. Ils planchent déjà sur des véhicules qui ne plieront pas, quel que soit le conducteur – même s'il n'y a personne au volant.

– Le problème avec l'alcool c'est l'alcool, Pierre.

– Non, je comprends ça. Mais il faut admettre que les moyens de transport c'est la folie.

– Et toi ? Tu ne conduisais pas. Au lieu de ça, tu es entré par effraction chez des gens.

– Non, ce n'est pas ça. La porte n'était pas fermée à clé. Je me suis juste trompé.

– Et tu continues à te tromper, Pierre, dit le conseiller. Tu te crois peut-être unique, mais je vais te dire. Tu ne l'es pas. Et je ne dis pas ça méchamment. Mais des comme toi j'en ai mille qui viennent à mes cours. Tu penses que quelque chose d'extérieur va venir te remettre d'équerre. Que ce soit un verre. Que ce soit de la drogue. Ou une relation amoureuse. Et qu'ensuite tu iras bien. Mais tu n'iras jamais bien. Jamais. Jusqu'à ce que pour commencer tu saches pourquoi tu as besoin de te remettre d'équerre. Est-ce qu'il y a quelque chose dans ce que je te raconte qui te paraît logique ?

– Pas vraiment. »

Le conseiller secoua la tête et ramassa son écritoire à pince. « C'est bien ce que je pensais.

– Vous n'allez pas me remettre le certificat.

– Exact. Je vais recommander une session supplémentaire. Je vais donc juste te demander de signer ce document. »

Il tendit l'écritoire à Pierre.

« Je ne veux pas suivre à nouveau ces cours.

– C'est pour cela qu'il s'agit seulement d'une recommandation.

– Je ne veux pas la signer.

– Ma foi, tu n'es pas obligé.

– Ah. Bien.

– Je te le demande.

– Non. »

Ce soir-là, les hurleurs politiques étaient à la télévision, ils hurlaient à propos de la Sécurité sociale, avec leurs petits visages en mouvement sous les cendres de Monster. Rien de ce qu'ils disaient ne relevait de la moindre logique, et pourtant ils s'exprimaient avec tant de vigueur et de détermination pour se noyer les uns les autres que cela en devenait divertissant.

Pierre buvait de la bière dans une bouteille verte qu'il posait par terre à côté de son fauteuil. Il essaya de trouver dans son entourage quelqu'un qui se sentirait concerné par la Sécurité sociale, voire y aurait réfléchi un instant.

Non, il n'y avait personne.

Au bout d'un moment, Pierre s'endormit dans son fauteuil. Il pouvait dormir n'importe où, la musique et le bruit ne le dérangeaient pas. Quand on aimait le sommeil et la musique, se disait-il, on trouvait toujours un certain bonheur…

Il rêva que lui et Stella Rosmarin traversaient sa maison à elle, et l'entrée avait beau être à sec, toutes les pièces étaient inondées. Il y avait des portes d'étable dont la partie supérieure était ouverte, si bien que l'on voyait l'eau qui emplissait les pièces et clapotait contre les murs.

« Bizarre, hein ? Tiens, et regarde ça », disait Stella.

Elle appuyait sur un interrupteur au mur et des flammes illuminaient le périmètre du plafond. Elles démarraient dans un coin et faisaient tout le tour, comme si c'était une sorte d'installation de gaz non conventionnelle.

« Je ne crois pas que ce soit normal », disait Pierre.

Puis quelqu'un frappait à la porte dans le rêve et le son devenait de plus en plus fort jusqu'à ce que Pierre s'éveille et se rende compte que quelqu'un frappait effectivement à sa porte.

C'était Roland Miles, qui avait épousé Carrie Sloan.

« Quelle heure est-il ? demanda Pierre.

– Je sais pas, répondit Roland. Onze heures et demie ? Minuit ? Minuit et demi ?

– Tu veux une bière ?

– Carrie a eu un accrochage. »

Pierre se frotta les yeux, en chassa le sommeil. « Elle n'est pas blessée ?

– Non non. Par contre la bagnole est bien amochée.

– Qu'est-ce qu'elle a accroché ?

– La bagnole a tout le côté abîmé. Je sais pas. Une pompe à essence. La station-service à la sortie d'Arcadia. »

Pierre alla chercher deux bières au réfrigérateur. Ils restèrent dans la cuisine et les ouvrirent.

« Ça s'est passé quand ?

– Il y a deux jours.

– Elle s'est pris une pompe à essence.

– Oh, je sais pas. Soit ça soit un truc qui se trouvait à côté. Je connais personne qui fasse aussi peu gaffe. Et elle se demande pourquoi c'est arrivé. Elle regardait pas où elle allait. Voilà comment ça s'est passé.

– Jamais entendu parler d'un truc pareil. »

Roland but une gorgée et ses yeux s'écarquillèrent, comme lorsqu'on est en train de boire et qu'on a quelque chose à dire.

« Tu me réveilles, tu me fiches une trouille de tous les diables, dit Pierre.

– Pourquoi tu as peur ? Elle te plaît ?

– Évidemment qu'elle me plaît.

– Ouais, je sais. »

Roland Miles avait joué en régional au poste d'ailier offensif pour les Shale-Midlothian Lancers mais s'était gravement blessé au genou en deuxième année d'université. Il était revenu du Nebraska sur des béquilles et avait demandé Carrie Sloan en mariage. Elle avait dit oui et Roland avait quitté l'université et était resté à Shale. Cela s'était passé quatre ans auparavant. Une fois son genou guéri, il avait décroché un poste au service des parcs de la ville, employeur fiable d'anciennes vedettes sportives.

Pierre n'arrivait pas à savoir quel était le secteur de responsabilité de Roland, et Roland lui-même ne semblait pas particulièrement concerné par la question. Il se déplaçait toujours au volant de pick-up, avec à l'arrière des râteaux, des bidons et des chevalets sans besoin impérieux de se rendre où que ce soit.

Le mariage de Roland et Carrie était houleux, c'était bien connu. On les voyait toujours se chamailler sur un parking ou un autre. Une fois, lors d'une partie de volley-ball où ils jouaient dans des équipes adverses, ils se disputèrent avec tant de cruauté sarcastique que les autres quittèrent le terrain.

Ils avaient tous deux eu une aventure dont Pierre avait eu vent, mais quelque part il paraissait improbable qu'ils divorcent. C'étaient simplement deux fortes personnalités destinées à se marier et à découvrir ce que c'était et à se bagarrer à ce sujet.

Pierre et Roland n'étaient pas amis depuis si longtemps, car au lycée ils s'étaient plus ou moins détestés ; une fois Roland avait même cassé le nez de Pierre en lui donnant un coup de coude à un entraînement de football.

Aucun élément en particulier n'avait dissipé cette animosité. C'était plutôt que les autres de leur âge avaient déménagé ou disparu ou été happés par la paternité, et donc ils avaient fini par devenir amis à l'usure. Et puis ils étaient tous deux chasseurs, et Roland avait un sens de l'honneur en matière de chasse que Pierre admirait.

Un bon exemple était la réaction de Roland quand des mômes venus d'ailleurs étaient entrés en douce dans les fermes de Shale pour chiper des oies et des canards apprivoisés : il avait dégommé les vitres de leur voiture avec un arc et des flèches pendant que les mômes étaient au bar du Cerf Blanc, à Rainville.

Pierre et Roland restèrent assis à boire de la bière, les pieds posés sur la table de Pierre.

« J'ai vu Eleanor Carr ce soir », dit Roland.

C'était une femme de la commune dont le fils était mort plusieurs mois plus tôt sur une île de l'océan Pacifique.

On avait évoqué un accident de plongée, mais il circulait aussi des rumeurs de coup foireux et personne ne savait ce qui s'était vraiment passé.

« Qu'est-ce qu'elle faisait ?

– Elle avait une cisaille de jardinier, et elle se baladait en coupant des herbes.

– Dans son jardin ?

– Non. Le trottoir. Même pas son trottoir.

– Je croyais qu'elle ne sortait pas de chez elle.

– C'est ce que je croyais aussi.

– Qu'est-ce qu'il a fait, son fils ? demanda Pierre.

– Quelqu'un a dit qu'il travaillait peut-être pour le gouvernement.

– Le gouvernement américain.

– C'est ce que j'ai entendu.

– C'était peut-être le ministère de l'Agriculture.

– Ouais, peut-être.

– Bureau des Poids et Mesures. »

Roland se leva et laissa tomber sa bouteille de bière dans la poubelle en fer galvanisé près de la porte. « J'aimerais pas crever sur une île, dit-il.

– Je ne sais pas, dit Pierre. Quitte à crever, une île ne serait pas si mal.

– Je crois que je préférerais une montagne plutôt qu'une île. »

Pierre prit la voiture et alla au lac un samedi de la fin juin. Il se dit qu'il allait juste faire un tour. Juste voir le lac. Et il y était. Il y avait un mariage sur une péniche aménagée, à une centaine de mètres du rivage.

Les convives étaient en smoking et robe blanche, le voile et la traîne de la mariée flottaient au vent comme des banderoles.

La fête paraissait un peu guindée mais au moins ça leur ferait un sujet de conversation pour plus tard.

Il quitta la grève. La route du lac l'amena jusqu'à la bifurcation conduisant à la maison de Stella. Bien sûr, c'est pour cela qu'il était venu. Il monta parmi les conifères sur une route striée de lumière et d'ombre.

Au milieu de la clairière du jardin, Stella était allongée dans l'herbe sur une serviette de plage, en bikini rouge et lunettes noires. Elle se mit sur son séant et passa les bras autour de ses genoux en le voyant.

« Je savais que vous viendriez, dit-elle.

– Comment ça ?

– Vous avez laissé vos patins.

– Ah, c'est vrai, dit Pierre. Je les avais complètement oubliés. »

La maison de Stella était en hauteur au-dessus du lac, mais on pouvait distinguer le rivage nord à travers les arbres si on savait ce qu'on regardait. En hiver Pierre n'avait pas remarqué à quel point l'endroit était décati. Il y avait des jardins de part et d'autre de la maison, et tout avait poussé jusqu'à devenir un enchevêtrement de plantes rampantes mortes et de roses nouvelles.

« Allongez-vous un peu avec moi, dit-elle.

– Je ne suis pas vraiment en tenue. »

Elle se rallongea, et avec les lunettes de soleil il ne put dire si elle l'observait ou pas. « Enlevez-en autant que vous voulez », dit-elle.

Pierre s'assit, retira ses bottes, ses chaussettes, s'étendit à côté d'elle sur l'herbe et ferma les yeux.

« Vous êtes un gars pudique, Pierre, dit-elle.

– Je ne fais jamais ça, dit-il.

– Vous devriez. Vous êtes pâle.

– Avant je travaillais à la ferme. C'est comme ça qu'on bronze. Du coup j'ai toujours pensé que c'est en travaillant qu'on bronzait.

– Vous avez de drôles d'idées, dit Stella. Qu'est-ce que vous faisiez à la ferme ?

– Ah, je ramassais des cailloux. Je mettais du foin en bottes. Les trucs habituels d'une ferme.

– Et qu'est-ce que vous faisiez de ces cailloux, une fois que vous les aviez ramassés ? »

La lumière du soleil appuyait sur les paupières de Pierre et l'odeur de la crème solaire de Stella était chaude et estivale dans l'air.

« Je les jetais dans une chargeuse. Ils remontent à la surface dans les champs et il faut s'en débarrasser, sinon on ne peut pas cultiver ou je ne sais quoi.

– Je suis contente que vous soyez ici, dit Stella. J'avais envie que quelqu'un vienne voir comment j'allais. Ou m'apporte quelque chose qu'il a lu en me disant : "Jette un œil. C'est assez intéressant."

– Vous devriez sortir davantage, dit Pierre.

– Mmm. Je sais.

– Je viens de lire un livre. Je pourrais vous l'apporter.

– Il est intéressant ?

– Ouais, mais un peu déroutant.

– Ça, ça ne me dérange pas.

– L'idée du livre est que le temps n'existe pas. Et que tout ce qui est jamais arrivé ou arrivera jamais était déjà là depuis le début. Et même, je crois, différentes versions de ce qui va apparemment arriver. Ou, pas ici, mais quelque part. C'est le passage déroutant. Savoir où exactement. Mais tout d'un coup.

– Vous y croyez ?

– Je pourrais si j'arrivais à comprendre, dit Pierre. Mais même pendant que je le lisais, il m'arrivait de tourner la page en me disant : Eh, mais qu'est-ce que c'est ?

– Sinon le passage du temps.

– Exact.

– Oui, apportez-le-moi, et j'essaierai de le lire. »

Pierre ouvrit les yeux. Les couleurs de l'herbe et du ciel semblaient vibrer. Il se releva sur un coude et se tourna vers elle.

« Stella.

– Oui, Pierre.

– Vous aimeriez aller quelque part avec moi un jour ?

– Je ne pense pas, dit-elle. Il faut que je sois ici. Mais vous pouvez revenir quand vous voulez. »

Puis elle se leva, entra dans la maison jaune et en ressortit, les patins à glace à la main.

« Qu'est-ce que vous leur avez fait ?

– Traité le cuir, décapé les lames.

– Merci, dit Pierre. Là encore je vous suis redevable.

– Vous feriez bien d'apprendre à le monter, ce cheval. »

Stella resta allongée un peu plus longtemps au soleil, alla ensuite dans la maison, enfila le peignoir blanc et sortit une guirlande lumineuse d'un placard de la cuisine. Elle la disposa autour du bonsaï sur la table et la brancha grâce à une rallonge. C'étaient des loupiotes décoratives en forme de gland, avec des feuilles en tissu et les tiges en fil de fer. Certaines étaient vert clair et d'autres couleur bronze. Elles n'avaient rien de spécial, mais elle les avait trouvées dans cette maison et elles l'aidaient à réfléchir.

Elle s'assit à la table en fixant les lumières. Les contours nets au début devinrent flous et se mirent à palpiter tandis qu'elle regardait. Ses mains étaient posées à plat sur la table, sa respiration ralentit, silencieuse. Elle leva la tête et ferma les yeux mais les loupiotes demeurèrent dans sa vision, s'éteignant lentement jusqu'à se fondre dans l'obscurité. Et au bout d'un certain temps, des images commencèrent à s'animer dans son esprit. Certaines qu'elle avait déjà vues, d'autres pas. Elles commençaient toujours de la même manière.

Un poing ganté brise une fenêtre
Un fauteuil prend feu
Les murs se cloquent, se fracassent et tombent
Le lit s'élève, une île dans un lac de feu.

À ce moment-là la respiration de Stella se fit rapide et saccadée, ses yeux s'affolèrent en tous sens derrière les paupières closes.

La Contrée Immobile de nuit, ses crêtes et sa verdure comme
les plis d'une couverture
Pierre patine sur le lac
Une main d'enfant dessine au crayon de couleur bleu sur une
assiette en papier
Un caillou rond vole dans l'air
Pierre est assis, il dort dans la forêt, un fusil posé en travers sur ses
jambes

Elle ouvrit les yeux, s'essuya le visage avec le revers du peignoir et posa la main sur son cœur qui battait la chamade.

Carrie Miles prit place au Valet de Carreau et fit tomber ses clés sur le bois.

« Hé, garçon, dit-elle. Tu me préparerais un Phillips Screwdriver ?

– C'est parti », dit Pierre.

Il lui fit son cocktail, le lui apporta avec une paille rouge et elle en but un tiers immédiatement.

« Devine un peu, dit-elle. Roland me coupe les vivres à nouveau.

– Depuis quand.

– Je ne sais pas. À peu près une semaine.

– Comment vas-tu payer ta conso ?

– Bonne question. Je ne peux pas.

– D'accord.

– Pierre, je te jure, si tu me disais maintenant que je peux le faire disparaître d'un claquement de doigts, je le ferais.

– Non, tu ne le ferais pas. »

Elle reposa le verre, leva ses deux mains de part et d'autre de son visage et fit claquer ses doigts.

« Tu serais dans un sale état s'il disparaissait vraiment.

– De toute façon, ce n'est pas près d'arriver, donc ça n'a pas d'importance.

– Il se met en rogne, tu te mets en rogne, c'est un cercle vicieux.

– Il t'a dit qu'il était en rogne.

– Il a parlé de quelque chose à propos de la voiture.

– Bon, oui. La voiture. Qu'il aille se faire foutre. *Voilà* qui il devrait épouser, s'il l'aime tant.

– Comme quoi tu t'es pris une pompe à essence.

– Non. Un plot en ciment à la station-service qui est, genre, le plot le plus mal placé qui soit. Et donc il a dit plus un rond tant qu'elle ne serait pas réparée.

– Tu travailles. Pourquoi ne tires-tu pas du liquide ?

– Oh, à cause de ce système idiot dans lequel je me suis laissé emberlificoter il y a longtemps. Comme quoi, si l'un de nous deux gagne plus que l'autre, il a accès à tout ce que gagne l'autre. À condition que la répartition soit équitable, bien sûr. Donc là c'est équitable que je n'aie même pas cinq dollars pour des clopes.

– Jamais entendu parler d'un arrangement pareil.

– Eh bien, selon Roland, c'est une pratique commune chez les couples.

– Fichtre, je vais te donner cinq dollars, dit Pierre. Je vais te donner cinquante.

– Vraiment ? Tu as tant que ça ? »

Il sortit son portefeuille et l'ouvrit. « J'ai vingt-trois dollars.

– Donne-moi dix-huit. Je ne veux pas prendre tout ton argent. »

Pierre compta dix-huit dollars, les donna à Carrie et remit son portefeuille à sa place.

« Il y a quelque chose de différent chez toi, dit-elle.

– Je suis diplômé de l'École de la Bière, répondit Pierre. Ça a été un rite de passage.

– Hé. Tu es amoureux ?

– Peut-être.

– Hé hé, Pierre Hunter. De qui ?

– Tu n'en parles à personne.

– D'accord.

– Elle s'appelle Stella Rosmarin. »

Carrie secoua la tête. « Pourquoi est-ce que ce nom me dit quelque chose ?

– Si tu l'avais déjà vue tu t'en souviendrais.

– Non. Je sais ce que c'est. C'est le nom d'une rose. La rose Rosmarin. »

***

Pierre estimait que c'était une erreur bien connue que de vouloir s'interposer entre une femme et son mari. Il y avait des gens dont c'était le métier, qui avaient derrière eux de nombreuses années de formation, et ils réussissaient encore à foirer les choses une fois sur deux.

Mais rien de tout cela n'était tout à fait réel. Roland et Carrie ne savaient pas parler d'autre chose que de leurs problèmes, et Pierre ne pouvait que donner des conseils, sur le ton de la plaisanterie.

On apprenait ça, en tant que barman – se prêter au jeu de ceux qui avaient des problèmes plutôt que jouer la carte de la sincérité totale. Se prêter au jeu était peut-être préférable dans tous les cas. Cela pouvait conduire les gens à se dire que les choses n'étaient pas si moches, et qu'il y avait donc moyen de s'en sortir. En tout cas beaucoup de gens fréquentaient les bars pour ça.

Bien sûr, ce que le conseiller psychologique de l'École de la Bière avait dit, c'était que si on buvait pour que les choses ne paraissent pas trop moches, alors ces mêmes choses sembleraient encore pires au milieu de la nuit, une fois l'ébriété estompée.

Le conseiller refusait de reconnaître que l'alcool pouvait avoir une fonction autre que la destruction aveugle. À l'entendre, les boissons alcoolisées semblaient être un développement historique complètement inexplicable. Une fois, lors d'une séance, Pierre avait dit ce qui lui paraissait relever de l'évidence, à savoir que quelques verres permettaient aux gens de s'affranchir de leurs inhibitions et de parler. Même si, oui, il y avait peut-être – il y avait sûrement – des manières plus saines d'y parvenir. Mais le conseiller réagit comme si Pierre avait dit que quelques verres permettaient aux gens de s'envoler comme des oiseaux, qu'il suffisait d'agiter les bras.

Et tout le monde dans la classe s'était rangé du côté du conseiller, car personne n'avait envie d'être retenu pour une session supplémentaire.

Quoi qu'il en soit, lorsque Pierre revit Roland – aux Pistes des Familles, le bowling de Rainville –, il lui dit qu'il fallait qu'il arrête de garder tout l'argent pour lui.

« Elle travaille pour gagner sa vie. Et malgré tous les défauts de ce pays, en Amérique lorsqu'on travaille, on touche son argent. Elle n'a pas cinq dollars pour des cigarettes.

– Ah, ouais, les cigarettes, dit Roland. Tu parles d'un argument. Mais avec qui elle fume ? Voilà la question.

– Pourquoi ? Avec qui fume-t-elle ?

– Et si je te disais que c'est le gamin qui s'occupe des voiturettes de golf, et que c'est ce qui explique qu'elles soient toujours en panne, vu que monsieur glandouille et passe son temps à souffler sa fumée de cigarette sur Carrie.

– Tu es juste jaloux, dit Pierre.

– Bien sûr que je suis jaloux, fit Roland. Tu sais à quel point elle est mignonne. »

Pierre prit son élan, lança une boule et réussit un *spare* en faisant tomber la dix et la sept.

« Bon, en tout cas tu me dois dix-huit dollars », dit-il.

L'été arriva, chaud et pesant. Les voitures sur le gravier soulevaient des nuages de poussière que l'on voyait à des kilomètres, et le soleil semblait s'intéresser personnellement à quiconque se déplaçait sous lui.

Les plaisanciers et les amateurs de baignade affluaient au Lac de Verre et les affaires étaient florissantes au Valet de Carreau, en raison de sa climatisation puissante et silencieuse. La pénombre du bar était un bon endroit où se réfugier les soirées de grande chaleur, et les sièges en skaï rouge avaient disparu, remplacés par d'autres en bois d'importation italienne.

Un soir après le travail, Pierre alla voir Stella. Il devait être dans les deux heures du matin quand il arriva là-bas. La cime des arbres découpait une colonne de ciel dans laquelle la petite maison semblait en position de décollage, et la lune diffusait une douce lumière bleutée sur les bardeaux.

Pierre coupa le moteur et traversa à pied les herbes épaisses qui n'avaient pas été coupées. Il faisait encore chaud, vingt-six degrés, voire plus. Il ne savait pas du tout si Stella serait contente de le voir à cette heure tardive. Elle lui avait dit de venir quand il voulait, mais Pierre avait du mal à se fier aux signes d'attirance, sauf s'ils étaient totalement transparents.

Il s'était ménagé une porte de sortie en lui apportant quelque chose. C'était une maquette de bateau qu'il avait construite. Ça paraissait carrément idiot, maintenant qu'il était là, à tenir le bateau dans ses mains. Mais au moins, si elle ne voulait pas qu'il reste, il pourrait toujours dire qu'il était juste venu le déposer avant de repartir.

Il faisait noir dans la maison à part deux lumières, une sur le panneau de la cuisinière et une à l'étage. Et bien sûr il n'y avait pas de voiture. Elle aurait décampé pour de bon, l'endroit aurait été exactement identique.

Il frappa et au bout d'un moment entendit un bruit provenant de l'étage. La moustiquaire de la fenêtre pivota sur des charnières fixées dans sa partie supérieure. Stella l'avait ouverte en poussant la partie inférieure et regardait en bas.

« Pierre ? fit-elle.

– Salut, dit-il. Il est trop tard ?

– Montez, dit-elle. La porte n'est pas fermée à clé. »

Il entra dans la maison, attendit un moment et gravit l'escalier. Elle se tenait dans l'encadrement de la porte, avec la lumière de la chambre derrière elle. Elle était un peu moins dévêtue que la dernière fois qu'il l'avait vue mais comme il s'agissait de sous-vêtements c'était encore plus excitant.

C'est marrant, comment ça marche, songea Pierre.

« Tenez, dit-il. J'ai fabriqué ça pour vous. »

Elle souleva le bateau dans ses mains et ferma un œil pour admirer la coque dans le sens de la longueur. « C'est magnifique, dit-elle.

– C'est une réplique de ce qu'on appelle le bateau de Gokstad, dit Pierre. Entièrement en bois, à propos. Euh, sauf la voile, bien sûr, qui est en tissu.

– Bateau de vikings, alors ?

– Ouais. On pense que c'était un vaisseau funéraire construit vers les années neuf cents.

– Et c'est vous qui l'avez fabriqué ? demanda-t-elle.

– Ouais. Il est pour vous si vous voulez.

– Bon sang, j'adore », dit-elle.

Ils allèrent dans la chambre, où elle posa le bateau sur la commode. Il y avait seize rames de chaque côté, orientées vers le bas pour que la maquette tienne toute seule.

« Je vais la mettre ici, comme ça je pourrai la voir et penser à vous en train de l'assembler.

– C'est un peu bête, mais —

– Non, pas du tout, dit Stella. Il ne faut pas dire ça. Pierre, écoutez-moi. Vous n'êtes pour rien dans tout ce qui est moche. Vous pouvez vous détendre si vous le voulez. »

Elle leva les mains, doigts écartés, comme si elle avait décompté dix choses. « Ce ne serait pas mieux ? N'est-ce pas ce que vous voulez ? »

Il mêla ses doigts aux siens. « C'est vous que je veux, dit-il. Et voilà, je l'ai dit. »

Tenant toujours les mains de Pierre, Stella ramena ses bras derrière elle jusqu'à ce qu'ils se rejoignent et que les mains de Pierre appuient sur le bas de son dos.

Ce fut très gracieux, la manière dont elle s'y prit. Il sentit le tissu côtelé de son maillot de corps et l'ourlet et dessous la chaleur de la peau.

« C'est toi que j'attendais », dit-elle.

Une femme avait dit une fois à Pierre que les hommes prennent à tort le sexe pour de l'amour, ou peut-être était-ce l'amour pour du sexe, il ne se rappelait plus dans quel sens ça marchait, et cela ne faisait peut-être que prouver le bien-fondé de sa théorie. Mais lui estimait qu'il devait y avoir de l'amour, ou que cela devait créer de l'amour, et peut-être était-ce la raison pour laquelle il n'avait pas couché avec tant de gens.

Bien sûr, ce n'était pas toujours ce que cela aurait pu être. Parfois il y avait l'impression décevante d'un service rendu, et avec réticence qui plus est, une impression de calcul et de séparation, et cela réduisait l'expérience qui, au lieu d'être union extatique, devenait un hybride de gymnastique et de comptabilité, et l'un dans l'autre ce pouvait être assez tendu et lugubre.

Avec Stella ce ne fut pas comme ça. Elle était sauvage et charmante et ne faisait pas de différence entre ce qu'elle donnait et ce qu'elle prenait. Elle en voulait et Pierre voulait ce qu'ils recherchaient autant l'un que l'autre, ou parfois l'un un peu plus et parfois l'autre, et les différences favorisaient l'inventivité plutôt que l'isolement.

Et que recherchaient-ils ? Ce n'était pas seulement la sensation agréable de frottement et de glissement, même s'il y avait beaucoup de ça. Il y avait peut-être eu une époque antérieure aux esprits individuels où la sensation était tombée sur le monde et tous l'avaient éprouvée de manière identique. Ce fut quelque chose comme ça. Retrouver ce temps et le vivre une nuit. Unis l'un à l'autre, comme dans les vœux de mariage. C'était comme le mot dont Pierre avait parlé quand il était saoul l'autre fois – laquelle, il y en avait eu tant –, le mot qui aurait tout exprimé, et le mot était le son de la respiration.

Ils firent l'amour toute la nuit. Il faisait chaud dans la pièce, puis plus frais quand le petit matin entra par les fenêtres, jusqu'à ce qu'enfin ils frissonnent sous les couvertures, éreintés et un peu dérangés. Il y avait une lumière allumée, une lampe sur pied avec un abat-jour orange. En raison d'un faux contact elle n'arrêtait pas de trembloter. Parfois ça se stabilisait un moment puis de nouveau ça se remettait à papilloter comme un stroboscope, et la lumière, par son inconstance, semblait les encourager. Et ils dormirent, mais légèrement, conscient chacun de l'autre serré contre soi. À un moment donné ils s'éveillèrent et ils étaient encore ensemble, elle s'étendit sur lui, lui touchant le visage de ses mains, sa tête à elle calée sous son menton.

« Alors, qu'est-ce que tu fais cet été ? » demanda-t-elle, et il sentit dans son torse la vibration de sa voix.

Ils rirent. Elle se releva en prenant appui sur ses bras dorés et le contempla.

« Tu veux dire, pour les vacances ? demanda-t-il.

– Ouais, peut-être.

– Habituellement je vais en Californie en août. Une de mes cousines y habite avec sa famille. Mais je ne sais pas si je vais y aller cette année.

– Pourquoi ?

– Eh bien, tu vois, je fais de l'auto-stop.

– Mais tu as une voiture.

– Elle ne tiendrait pas. C'est trop loin. Et en fait on peut aller plus vite sans voiture, parce qu'on n'est pas obligé de s'arrêter. Mais je ne sais pas. J'ai vingt-quatre ans maintenant. Je me fais peut-être un peu vieux pour ça.

– Vingt-quatre ans c'est rien.

– Et puis en plus, tu es ici.

– Tu devrais faire ce que tu avais prévu de faire, dit Stella. Ne te prive pas d'y aller pour moi. Ensuite tu pourras revenir me raconter les histoires.

– J'ai envie de ça depuis le jour où on s'est rencontrés, dit Pierre. Même le jour où on s'est rencontrés.

– Tu as eu si froid.

– J'ai oublié.

– Moi je me souviens de tout.

– Ça fait beaucoup.

– Il y a des choses, je préférerais tout de suite les oublier.

– Ça aide, quand même, non ?

– Oui, parce qu'il n'y a que nous.

– Et qui sommes-nous au fait ?

– Un mec et une nana, perdus ensemble dans ce monde taré.

– C'est mignon ta façon de le dire.

– On devrait y aller doucement, dit-elle. Vraiment doucement – comme ça – jusqu'à ce que ce soit juste insupportable… »

Vers cinq heures la lumière commença à se couler dans la pièce et les oiseaux à chanter en phrases timides, comme pour voir qui d'autre était éveillé. Pierre se leva et éteignit la lampe capricieuse, et ce faisant il reçut une décharge qui se propagea jusque dans son épaule. Il retourna au lit en pétrissant ses articulations, puis ils s'endormirent et ne se levèrent que dans l'après-midi.

« J'ai entendu dire que vous aviez qu'un chariot, dit Roland Miles. Carrie t'a vu au magasin.

– Et alors ?

– Eh ben, tu sais ce que ça veut dire. »

Ils étaient en haut de la tour de pierre dans la forêt domaniale derrière le Valet de Carreau. Roland recolmatait les interstices entre les pierres, là où le vieux mortier s'était lézardé, réduit en cendre blanche, puis dissipé, et Pierre, appuyé sur le mur, contemplait le paysage.

« Deux personnes, un chariot, dit Roland.

– Non, qu'est-ce que ça veut dire ? demanda Pierre.

– Que vous vivez ensemble.

– Et si c'était le cas ?

– C'est le cas ?

– Non.

– Ah bon, d'accord.

– Je l'ai emmenée faire quelques courses.

– Comme c'est gentil de ta part. Carrie dit que vous étiez au rayon des soins capillaires et que vous aviez l'air rudement câlins.

– Elle aurait dû venir nous voir.

– Oh, tu sais – on n'a jamais envie d'interrompre les gens quand ils sont en train de décider quel après-shampooing donne cette incomparable sensation de brillance.

– Elle me plaît.

– C'est bien, dit Roland. Qu'il y ait quelqu'un qui te plaise. Les gens sont comme ça. Et tu lui plais ?

– On dirait.

– Pourquoi ?

– Je ne sais pas trop, dit Pierre. Il y a des cerfs en bas.

– Qu'est-ce qu'ils font ?

– Ils se baladent. Maintenant ils courent.

– Des faons ?

– Je ne pense pas.

– Ils sont probablement tout près, habituellement ils le sont… Je ne suis pas en train de dire que tu es un fond de tiroir. Je suis sûr qu'il doit bien exister quelqu'un pour te trouver un petit quelque chose, ne serait-ce qu'en raison du nombre de gens, et des lois de probabilité.

– Ouaip, dit Pierre. C'est un mystère.

– Enfin bon, écoute pas ce que je dis.

– Je n'écoute pas.

– Je vois ça. »

Pierre avait appris un truc à l'université qu'il n'était pas près d'oublier, à savoir que toute chose parvenue à l'accomplissement crée les conditions de sa propre perte.

Un professeur au maintien prématurément voûté et à la barbe blanche avait dit cela à propos d'un antique royaume ayant disparu, et Pierre estimait que cela était vrai de bien des choses. Le feu en était un exemple simple, qui brûle le carburant qui l'alimente, puis s'éteint. Apparemment il semblait que cela pourrait même arriver au soleil. Ou à un héros, qui répare mainte injustice et découvre qu'on n'a plus besoin de ses services.

C'était sa seule philosophie, et d'ailleurs il n'était même pas sûr que ce soit de la philosophie. Cela signifiait que rien de suffisamment bon ou mauvais ne pouvait perdurer. Les seules choses susceptibles de durer sont les choses qui ne font aucune différence.

Cependant c'était typique de Pierre de magnifier de simples questions et d'aboutir à de grandes abstractions dont on ne pouvait rien faire. Tout ce qu'il voulait dire en pensant à cette formule sur la dissolution c'était que si lui et Stella s'installaient ensemble, alors ils mettraient un terme à leur vie séparée qui avait initialement suscité l'envie d'habiter ensemble.

Aussi n'aborda-t-il jamais la question, et Stella non plus. Ils passèrent de nombreuses nuits chez elle, au sommet de la colline, et une dans son appartement à lui, à Shale, avant qu'il ne parte pour son périple en Californie. Pour Pierre, ces nuits et ces matins semblaient lumineux et urgents au point d'exister séparément du reste de sa vie. C'était comme s'ils recommençaient le monde à partir de rien à chaque fois qu'ils se retrouvaient. Où avait-il été tout ce temps ? C'était la question qui lui venait à l'esprit quand lui et Stella étaient ensemble. Et où était-il maintenant ?

CINQ

Pierre n'avait jamais vraiment eu de mauvaise expérience en auto-stop. Au pire il arrivait qu'un conducteur lui fasse goûter une herbe d'une puissance inattendue et mette une chanson telle que « Tecumseh Valley », et Pierre devenait alors un peu comateux. Dans l'ensemble, la musique datait, comme la plupart des conducteurs, qui se rappelaient une époque où les routes grouillaient de gens circulant en tendant le pouce.

Il fit un super chrono. L'auto-stoppeur peut paraître insouciant et ouvert aux expériences, mais dans le cas de Pierre c'était trompeur. Une fois sur la route, il devenait impitoyable, avide de kilomètres. Il n'avait pas à se dépêcher pour être où que ce soit, mais il se dépêchait quand même.

Il se rappelait certains des conducteurs qui l'avaient pris en stop – un homme paisible, grave, qui allait d'un hippodrome à l'autre en pariant sur les canassons, un autre avec une baignoire rouillée remplie d'écrevisses sur la banquette arrière, une femme au volant d'une Karmann Ghia beige qui riait superbement et tirait sur une pipe à hasch en métal, lui adressant des clins d'œil, telle la nièce sexy du Père Noël, tandis qu'une fumée blanche s'enroulait autour de son visage.

Mais dans chaque cas, le trajet s'était achevé, et il avait poursuivi sa route – il n'avait pas assisté à la cuisson des écrevisses au four (ou à la poêle, enfin bon, quelle que soit la préparation), n'avait pas appris à interpréter les pronostics des courses hippiques et n'avait pas non plus passé la nuit avec la fumeuse de hasch.

Parfois il se disait que cela aurait été mieux s'il avait fait ces choses. Non pas qu'il aurait pu toutes les faire. Seul le parieur lui avait proposé. Mais il y avait peut-être eu des signaux que Pierre, de par sa nature passagère, avait loupés. Se lancer dans une nouvelle vie sur un coup de tête lui semblait être l'essence de la pensée américaine. Mais il n'en avait jusqu'alors jamais été capable.

Il arriva dans l'Utah en deux nuits, et là il rencontra une espèce de femme tragique dans une petite ville de montagne. Elle avait trente ans et buvait dans le bar de l'hôtel sombre et flétri où il avait réservé une chambre pour la nuit.

Elle en avait bavé. Quelque chose dans le regard finit par s'éteindre à force d'excès en tout genre. Elle avait d'épais cheveux roussâtres secs et des cicatrices blanches des deux côtés du visage, comme si elle avait été attaquée par un ours.

En fait, expliqua-t-elle, elle s'était infligée cela elle-même, avec ses propres ongles, une fois, après avoir passé trop de jours d'affilée sous *speed*. Pierre ne sut que dire, mais elle sourit et hocha la tête, comme si la douleur s'était estompée, ne laissant plus qu'une sorte de stupéfaction impersonnelle.

Ils dansèrent dans le bar et puis, comme Pierre voulait voir le village, il la raccompagna chez elle à pied, jusque-là où elle disait habiter avec sa grand-mère. La maison était près de la route récemment refaite, qui redescendait au sortir de la commune. La porte était fermée à clé, et elle frappa et appela, mais il ne se passa rien.

« Elle fait ça quand je rentre tard, dit-elle. Mais il y a une échelle dans le garage. Viens. Tu peux m'aider à la porter. »

Ils allèrent donc dans le garage, elle alluma la lumière et regarda autour d'elle. Il y avait une grande Cadillac jaune mais pas de grande échelle.

Elle resta debout, les mains dans ses poches arrière, à chercher partout du regard. « Maligne, dit-elle. Elle a dû rentrer l'échelle dans la maison. Bien joué, grand-mère. Ça c'est de l'anticipation. C'est une sorte de jeu entre nous.

– Pourquoi tu ne reviens pas à l'hôtel ? demanda Pierre. Tu pourras dormir dans ma chambre.

– Oh non, fit-elle. Je ne suis pas une Marie-couche-toi-là.

– Qui parle de Marie et de coucher là ? demanda Pierre. Cela te fera un endroit où dormir, c'est tout.

– Vraiment ? Tu ferais ça pour moi ? Tu dois être une espèce de mec religieux. Pasque ce que je fais normalement, si je peux pas rentrer, c'est que je dors dans la Cadillac.

– Oh non, faut pas que tu fasses ça.

– Non, c'est sûr. »

Ils retournèrent donc à l'hôtel et y passèrent la nuit en tout bien tout honneur, elle dans le lit et Pierre dans un fauteuil avec une couverture.

« Et comment ça se passe, là-bas ? lança-t-elle.

– Très bien, merci.

– Ça t'intéressera peut-être de savoir que j'ai arrêté les amphètes, maintenant.

– Ça c'est bien.

– Et je me suis fait une promesse. Un jour, je tomberai un paquet de cash, je l'apporterai à un chirurgien esthétique et je lui dirai : "Faites-moi disparaître ces cicatrices."

– C'est certainement possible.

– Oh, à notre époque ? En deux coups de cuiller à pot, je parie. Ils le font probablement tout le temps.

– La partie délicate c'est le cash, dit Pierre.

– Je pense que ça arrivera, n'empêche. Je le vois bien c'est tout.

– Si tu le vois tu le deviendras.

– Où est-ce que tu as entendu dire ça ?

– À l'École de la Bière.

– Alors comme ça, toi aussi tu as abusé de substances, dit-elle.

– Oh, et pas qu'une fois.

– Et tu penses que c'est vrai ?

– Quoi ?

– Que ce qu'on voit on le deviendra.

– Non. Quelle heure est-il ?

– Deux heures.

– Par exemple, tu peux voir un lama, dit Pierre. Mais tu ne deviendras pas lama.

– Oui, enfin là, tu prends l'expression vraiment au pied de la lettre.

– Maintenant je vais dormir.

– Tu as réussi le test, annonça-t-elle.

– J'ignorais que j'en passais un.

– Tu as rien réclamé, tu m'as pas sauté dessus. Tu as tenu ta parole, et tu dors dans un pauvre fauteuil crado. J'admire ça.

– Tu ne peux pas passer la nuit dans la voiture de ta grand-mère.

– Eh, j'ai une info pour toi. C'était même pas sa maison.

– Pas sa maison.

– Exact.

– Et s'il y avait eu une échelle ?

– Ç'aurait été intéressant, non ?

– Tu es tarée, c'est ça ?

– Ouais, je suppose. Sans doute relativement tarée.

– Tu vas dormir maintenant ?

– Ouais.

– Bonne nuit.

– Non. Tu sais quoi ? Je vais te donner quelque chose. »

Elle fouilla dans son sac à main, puis se pencha en dehors du lit, une main au sol, et lui tendit un galet jaune de la taille d'une balle de tennis, recouvert de petites dépressions comme la lune.

« Merci, dit-il.

– C'est mon caillou porte-bonheur, dit-elle. Je l'ai trouvé dans une carrière. Je pense qu'il a été modelé par la chaleur ou je ne sais quoi.

– Tu devrais le garder.

– Non, il est trop lourd. Je cherchais quelqu'un à qui le donner. Il est agréable au toucher. Il va te plaire. Vas-y, lance-le en l'air et rattrape-le. Tu verras ce que je veux dire.

– Ouais, dit pierre. Il est assez sablonneux.

– Je t'avais pas prévenu ? »

Et pendant le reste du voyage, à l'aller jusqu'à la côte, puis au retour, il garda le caillou dans la poche de sa saharienne, et il le lançait en l'air et le rattrapait en regardant la route dans l'attente d'une voiture.

La cousine de Pierre vivait avec sa famille dans une petite maison de Californie du Nord avec, derrière, des séquoias dont l'écorce se décollait et ils plantaient une tente dans le jardin pour y faire dormir Pierre.

Sa cousine possédait une société fabriquant des skateboards sur mesure, et sponsorisait un *skateboarder* apparemment célèbre dont Pierre n'avait jamais entendu parler, et son mari était un concessionnaire Saab, il conduisait de vieilles Saab et pensait que les Saab étaient les plus belles choses au monde.

Leurs enfants étaient vraiment gentils et des prodiges au trictrac, qui battaient Pierre pratiquement à chaque fois qu'ils jouaient ensemble. Il estimait pourtant avoir un niveau honorable au trictrac, mais c'était de la rigolade à côté de ces enfants de cinq, sept et neuf ans.

Même le plus jeune avait parfaitement compris comment bloquer les pions adverses, et quand battre une dame découverte sur une demi-case ou pas, et quand doubler. C'était extraordinaire.

Pierre resta chez eux une semaine et, grâce à la tente, jamais il n'eut l'impression d'être de trop ni ne fut mal à l'aise. Ils coupaient du bois pour l'hiver et allaient à l'océan près de Big Sur, où les enfants pataugeaient dans les bassins laissés par la marée.

Sa cousine avait un style peu orthodoxe avec sa hache. Elle ne prenait pas son élan en armant sur le côté avec un mouvement de balancier, comme font la plupart des gens, mais commençait avec la hache suspendue inerte dans son dos puis la remontait au-dessus de sa tête en accélérant. Et c'est comme ça que, bien que menue et pas très grande, elle arrivait à couper en deux des billots que Pierre parvenait à peine à entailler.

Cette famille était la plus saine que Pierre eût jamais connue. Les gamins l'appelaient Oncle Pierre, et la veille de son départ le long de la côte, ils dessinèrent leurs visages sur des assiettes en carton et les lui donnèrent pour qu'il se rappelle leurs visages. Donc maintenant il avait le caillou et les assiettes en carton, et tout était en place pour ce qui allait se passer ensuite, même si Pierre ignorait de quoi il s'agissait, ignorant même qu'il allait se passer quelque chose.

Cela eut lieu alors qu'il était presque arrivé. Il se montra un peu insouciant, comme souvent en fin de parcours. Devant un resto routier du Minnesota, il accepta de monter dans le vieux pick-up bleu ciel déglingué d'un type qui lui demanda de participer aux frais d'essence.

Les deux éléments, l'état du véhicule et puis le fait que le chauffeur le fasse payer, auraient dû lui mettre la puce à l'oreille et en temps normal Pierre aurait attendu une autre voiture. Partager les frais était en théorie équitable, mais d'après ce qu'il avait vu, les conducteurs qui réclamaient de l'argent d'avance avaient tendance à être des mercenaires.

Quant au pick-up, la carrosserie était cabossée et éraflée, le tableau de bord se décollait et il n'y avait pas de vitre arrière. Mais c'était la fin d'après-midi et il n'était plus qu'à 200 kilomètres du but, alors Pierre monta dans le pick-up.

Le conducteur était un type imposant avec les cheveux longs d'une teinte entre le jaune et le blanc. Du même âge que Pierre, ou ayant peut-être quelques années de plus, il arborait une chemise verte de boy-scout avec les manches coupées aux épaules et un insigne bleu roi l'identifiant comme un EXPERT DISTINGUÉ, cependant que le domaine de l'expertise n'était pas précisé. Il était probable que la chemise n'appartenait pas au conducteur à l'époque où la distinction avait été décernée.

Il avait un visage rond, tanné au soleil, et un front saillant, il ne regardait pas Pierre dans les yeux mais semblait perpétuellement en train d'envisager une autre situation. Par instants il semblait décontracté et à d'autres moments un air de panique courait sur son visage.

Chemin faisant, le conducteur lui dit qu'il descendait à San Antonio pour aider son frère, qui avait trouvé un paquet de fric dans un lave-auto. Il ne l'avait pas tant dit que crié, ou quasiment, pour être entendu à cause du bruit de la route qui entrait par la vitre manquante.

« Il y en a pour combien ? demanda Pierre.

– Des milliers. Des dizaines de milliers.

– Et quelqu'un a laissé ça dans un lave-auto ?

– C'est ce qu'il me dit.

– Qu'est-ce que c'est, de l'argent de la drogue ?

– Bah, on sait pas. Mais d'une façon ou d'une autre des biens mal acquis. Dans un sac d'épicerie en papier.

– Et si la personne qui l'a perdu cherche à le récupérer ? »

Pierre faisait juste la conversation. L'histoire semblait inventée de toutes pièces, mais ce n'était pas si inhabituel, s'il repensait à tout ce qu'il avait pu entendre en auto-stop.

« Ouais, mon frère est un peu inquiet pour ça », dit le conducteur, dont les cheveux dansaient, ébouriffés par le courant d'air soufflé par la vitre manquante. « Mais une fois qu'il l'aura rapatrié à San Antonio, ces salopards pourront plus le toucher.

– Je croyais qu'il était à San Antonio.

– C'est ce que je veux dire. »

Le sac à dos de Pierre se trouvait alors sur le plateau arrière du pick-up, en violation de la règle fondamentale de l'auto-stop, qui veut qu'on ne se sépare jamais de quelque chose qu'on n'a pas envie de perdre.

La fin du trajet en pick-up prouva le bien-fondé de cette règle. Quand ils arrivèrent à la sortie d'autoroute que Pierre devait prendre pour parcourir les 110 derniers kilomètres jusqu'à Shale, le conducteur avança jusqu'au milieu de la bretelle et s'arrêta sur le bas-côté.

« Avancez donc jusqu'au panneau de stop. Je descendrai là, dit Pierre.

– Non, merci, ça va comme ça. »

Pierre tourna la tête pour regarder le conducteur, pensant qu'il n'avait pas compris. « De toute façon vous êtes obligé de passer par là.

– Ouais, je m'en tape.

– Juste là, un peu plus loin », dit Pierre.

Le conducteur pivota sur son siège, se cala le dos contre la portière et donna un coup de pied à Pierre à hauteur de l'épaule.

« Fous le camp de mon camion, dit-il.

– Bon, d'accord, mais je trouve ça rudement mesquin alors que je vous ai donné de l'argent pour l'essence.

– Et oublie pas tes affaires. »

En entendant ça Pierre comprit son erreur. Mais maintenant, il n'avait rien d'autre à faire que de sortir. Il ouvrit la portière, commença à descendre, le pick-up démarra, le projetant sur le bitume.

Mais alors le conducteur commit lui aussi une erreur. Au lieu de s'en aller le plus vite possible, il s'arrêta un peu plus loin, regarda par la lunette arrière béante et cria quelque chose. Pierre ne comprit pas quoi, mais apparemment ça se terminait par le mot *imbécile*, qu'il était difficile de contester en de telles circonstances.

Le sac à dos ne contenait aucun objet de valeur, mais Pierre détestait l'idée que le voleur récupère ses assiettes en carton avec les dessins.

Il se releva donc d'un bond, s'empara du caillou porte-bonheur qu'il avait dans la poche de son manteau, arma le bras et lança le caillou en direction du pick-up.

Parfois des choses arrivent qui semblent défier la deuxième loi de la thermodynamique, selon laquelle tout système tend vers le désordre. Une fois Pierre avait fait tomber un briquet sur le trottoir, et il avait atterrit à la verticale. Une autre fois, allongé au lit avec Stella, il lui avait demandé ce qu'elle ferait s'il arrivait à lancer une pièce de monnaie à travers la chambre et qu'elle atterrissait dans la tasse à café posée sur la commode, près du bateau de Gokstad, et elle le lui avait dit, et il avait lancé la pièce, et la pièce avait atterri dans la tasse.

Et là le pick-up se mit en branle, les pneus tentant d'accrocher la chaussée, mais cela n'avait pas d'importance, parce que le caillou dans sa course semblait savoir ce qu'il avait à faire, il décrivit une courbe basse et, en bout de course, traversa le cadre de la lunette arrière et atteignit le conducteur. Le pick-up continua à remonter un bref instant la bretelle d'autoroute, perdit de la vitesse, puis vira vers l'ouest et dévala un talus herbeux, il roula un instant, manqua quelques arbres, en percuta un autre et s'arrêta.

Subjugué, Pierre descendit le talus et marcha entre les arbres jusqu'au pick-up. Le conducteur était étalé, en partie sur le siège, en partie dans le renfoncement sous le tableau de bord. Pierre l'observa pendant un moment pour s'assurer qu'il respirait encore, même s'il n'avait pas la moindre idée de ce qu'il aurait fait s'il n'avait pas respiré.

Ensuite il récupéra son sac sur le plateau arrière du pick-up, remonta le talus, tira la manette sous le volant et ouvrit le capot. Son intention était d'arracher les fils du contact, mais les localiser ne fut pas aussi facile que ce qu'il avait espéré. Sauf qu'en scrutant les entrelacs de fils il aperçut un paquet scotché avec du gros adhésif derrière la batterie.

Il arracha l'adhésif et extirpa le paquet du bloc-moteur. Il s'agissait d'un sac en papier, replié, enveloppé sous une couche d'adhésif, et quand il s'en fut débarrassé, il ouvrit le paquet et se rendit compte qu'il était rempli de billets de banque verts en liasses tenues par des élastiques maculés d'encre.

Pierre réfléchit brièvement, puis ouvrit son sac, tassa le contenu et déposa l'argent sur le dessus. Il revint ensuite auprès du conducteur endormi, prit les clés de contact, les lança dans un champ de haricots et s'en alla à pied.

Il chargea le sac sur ses épaules et remonta la bretelle d'autoroute. Il parcourut plusieurs kilomètres sous le ciel strié de bandes de lumière et finalement un homme conduisant un camion Royal Crown s'arrêta et le prit en auto-stop.

SIX

Lorsque le conducteur du pick-up revint à lui il faisait noir dehors, et le plafonnier était allumé. Une femme lui tenait le pied et le secouait.

Il était à l'envers, la tête sous le tableau de bord du côté passager et les pieds en l'air, à hauteur du volant. Il avait mal au crâne. Il se passa la main dans les cheveux, ils étaient emmêlés comme de la paille.

« Vous avez eu un accident, dit la femme.

– Ouais, dit-il. Vous avez quelle heure ?

– Il est à peu près neuf heures. J'étais en train de rentrer chez moi, je revenais du cimetière. Je dépose des fleurs, vous savez. Mais aujourd'hui j'ai été occupée et j'y suis arrivée assez tard. Mais tant que je n'y suis pas allée je n'ai pas la conscience tranquille, alors – enfin bref. Vous avez quelque chose de cassé, vous pensez ? Non pas que vous le sauriez nécessairement. En tout cas, sûre que je suis contente de m'être arrêtée. »

Il étendit la main, ouvrit la portière passager, sortit en rampant, et fit le tour jusqu'au côté conducteur où se tenait la femme.

« Pourquoi vous vous êtes arrêtée ? demanda-t-il.

– Oh, mon mari. C'est lui qui conduit la dépanneuse en ville, il est censé s'occuper de tous les véhicules, qu'ils soient accidentés ou abandonnés. Du coup je me suis dit autant aller voir ce qu'il en est parce que je n'avais pas envie qu'il se déplace pour rien. Comment vous appelez-vous ?

– Bob Johnson », dit-il.

C'était un nom inventé. Il aurait pu trouver mieux mais il n'avait pas les idées très claires. Il s'appelait en réalité Shane Hall.

Il remarqua que le capot était relevé et cela ne lui plut pas, alors il s'approcha, passa la main derrière la batterie. Il était peu probable que l'argent se fût détaché au moment du choc, mais il regarda par terre tout autour et sous le pick-up.

« Que faites-vous, monsieur Johnson ? demanda la femme. Voulez-vous que j'appelle quelqu'un ?

– Non, ça va, répondit Shane. Mais il y avait quelqu'un d'autre. Je m'en souviens maintenant. Dans le pick-up. Je sais pas où il est.

– Il a peut-être été éjecté. J'ai entendu dire que ça arrivait. Je ferais mieux d'aller appeler quelqu'un. Cela ne me plaît pas du tout.

– Non, aidez-moi maintenant. On va pas paniquer. Vous regardez par ici, moi je vais regarder du côté des arbres. »

Shane remonta jusqu'à la voiture de la femme, garée sur le bas-côté de la bretelle d'autoroute, mais elle avait fermé la portière à clé. Il retourna donc au pick-up, s'installa au volant, mais les clés avaient disparu.

« C'est pas juste », dit-il.

Il aperçut alors le caillou sur le siège, le prit dans sa main et le regarda fixement

« Je ne trouve personne », dit-elle.

Shane sortit du pick-up, le caillou à la main.

« Ouais, moi non plus, dit-il. Écoutez, j'ai besoin de prendre votre voiture. Il faut que j'aille voir un toubib. Je crois que vous avez raison. Alors filez-moi les clés.

– Vous n'êtes pas en état de conduire, dit-elle. Je ne serais pas étonnée que vous ayez un traumatisme crânien. Je vais vous emmener en ville et l'ambulance sera là en moins de deux. Je sais où la trouver.

– File-moi les clés de ta bagnole. M'oblige pas à te cogner avec ce caillou.

– Vous feriez cela ?

– Ouais.

– Mais comment vais-je rentrer chez moi ?

– Je sais pas. Putain, tu trouveras bien. Tu iras à pinces, j'imagine. Pourquoi y faut tout le temps que je trimballe tout le monde à droite et à gauche ? »

Elle prit son trousseau de clés, retira celle de la voiture et la lui donna. « Et l'autre gars, alors, qui était dans le pick-up ?

– Il est mort. Il le sait pas encore mais il va y passer.

– Oh là là.

– Ouais. Je sais. C'est ce que j'essaye de te dire. »

Shane remonta la bretelle au volant de la voiture de la femme, et reprit l'autoroute vers l'est. C'était une conduite tout en douceur – bien plus souple que le pick-up à la lunette arrière flinguée. Il y avait des plateaux en plastique remplis de fleurs mortes sur le siège, il les prit, les jeta par la fenêtre et les regarda dans le rétroviseur se briser sur le macadam.

Sa mission avait beau paraître simple, il savait que ce ne serait pas simple du tout, sauf s'il retrouvait l'auto-stoppeur par hasard sur l'autoroute. Il n'avait pas tout à fait saisi son nom, mais il pensait que c'était quelque chose comme Pete ou un nom de ce genre.

Il roula pendant plusieurs heures. Le paysage plat se vallonna, la route commença à se raidir, et les vallées s'ouvrirent de part et d'autre, et dans les vallées il y avait de temps à autre des petites villes.

Cela ne rimerait à rien d'entrer dans n'importe laquelle de ces communes et de commencer à chercher, Shane le savait très bien, ces petits bleds isolés, pelotonnés avec leurs lampadaires scandant le passage du néant de la nuit.

Shane hésitait entre ignorer cette bourde et s'en vouloir de l'avoir commise. Il avait tergiversé comme un imbécile, ça c'était sûr, mais qui aurait pu prédire que l'auto-stoppeur posséderait une telle arme ou quelque chose à lancer ?

Il avait vu le caillou fendre l'air. Il n'aurait eu qu'à esquiver, ou juste ne pas bouger, mais il avait tourné la tête et appuyé sur l'accélérateur, et le pick-up avait avancé, ce qui signifiait que le caillou serait passé loin de lui s'il n'avait rien fait.

Tout s'était passé exactement comme il fallait pour que Shane perde l'argent – ça semblait à la fois inévitable et ridicule – et après ça, tout s'était perdu dans un sommeil de pierre jusqu'à ce que la bonne femme du cimetière le réveille en lui secouant le pied.

Une fois parvenu à la rivière au niveau de la frontière, il sut qu'il était allé trop loin, alors il entra dans une petite ville et s'arrêta dans un bar sur les quais au-dessus de l'eau. Il s'installa et but de la bière, contemplant la surface sombre des flots où se déplaçaient les phares des bateaux.

Le pire c'est qu'il avait mis l'argent en péril pour rien, pour le sac à dos rempli de conneries d'un crétin ; c'était rageant, quand on y pensait.

« Alors, perdu dans ses rêves ? » fit la serveuse en lui apportant une autre pression.

« Pose ta bière et dégage. »

Il s'arrêta à un téléphone public en sortant du bar. Il appela un gars qu'il connaissait, à Chartrand, à 65 kilomètres au sud, et lui dit qu'il avait besoin d'un endroit où crécher.

Comme la soirée avait fraîchi, il prit un blouson et un chapeau suspendus au mur, et dehors il les mit et poursuivit son chemin.

« Et donc voilà », dit Pierre.

Il posa le sac de billets sur la table de Stella, elle l'attira à elle et regarda dedans.

« Qu'est-ce que tu vas en faire ?

– Je ne sais pas. Peut-être l'investir.

– À tant de pour cent.

– Ouais. Pas vraiment.

– Parce qu'elle l'a dit. Cette femme que tu as rencontrée », fit Stella. Elle s'était fait deux longues nattes, et elle portait une veste en jean avec des boutons nacrés.

« Que si elle trouvait un paquet de cash. Ce sont ses mots.

– Et le caillou.

– Ouais. Elle m'a donné le caillou.

– Eh bien, je ne sais pas, Pierre. J'ai l'impression que ça devait arriver.

– Mais même dans le cas contraire. Supposons qu'elle n'ait pas été au courant pour l'argent. Parce que ce n'est pas humainement possible. Pourquoi ne pas lui donner quand même ?

– Parce qu'elle risque de le claquer.

– Quiconque a de l'argent risque de le claquer, dit Pierre. Beaucoup de gens le font. Mais personne ne s'en inquiète jamais, sauf quand quelqu'un qui n'en a pas du tout est sur le point d'en avoir.

– Et ensuite tu en seras libéré, dit Stella. Ça me plaît. C'est Robin des Bois et en même temps non.

– Bah, je l'ai quand même pris. Est-ce du vol ? Je ne sais pas trop ce que c'est. Quand tu prends l'argent que quelqu'un a volé, et qu'il est lui aussi en train de te voler. Qu'est-ce que c'est ?

– C'est comme ça que ça se passe.

– Je veux dire, ce n'est pas non plus comme si je l'avais voulu.

– Je ne te jette pas la pierre. Tu as écouté ton intuition. Est-ce qu'il sait où te retrouver ?

– Non.

– Parce qu'il va essayer.

– Tu crois.

– J'en suis certaine. C'est probablement toute sa fortune. Ou peut-être qu'il le doit à quelqu'un. Il se réveille, l'argent a disparu, il ne peut plus rouler avec sa voiture. Qu'est-ce que tu ferais ?

– Ma foi, il n'aura pas l'idée d'aller chercher dans l'Utah.

– Tu as une adresse ?

– Non. Je me suis dit que j'allais appeler le bar où je l'ai rencontrée. Ou l'hôtel.

– Est-ce que tu as couché avec elle ?

– Non.

– Ce n'est pas grave si tu as couché avec elle.

– Je n'ai pas couché avec elle. Je te le dirais. C'est pour ça qu'elle m'a donné le caillou.

– D'accord, bien. Maintenant, es-tu armé ?

– Pour quoi faire ?

– Pour te défendre, j'imagine.

– J'ai un calibre douze et un fusil, mais je n'ai pas l'intention de m'en servir.

– Mais si tu es obligé ? fit-elle. C'est comme le caillou. Tu n'avais pas prévu de t'en servir, mais heureusement que tu l'avais.

– Un caillou c'est une chose.

– Je ne suis pas sûre que tu comprennes, dit Stella. Tu vois ça ? Ça représente une *fortune*.

– Il me faut une boîte en carton. »

Elle alla lui chercher un carton dans lequel lui avaient été envoyés des bulbes d'*Habenaria*. Cela paraissait idéal parce que parmi les voleurs potentiels personne n'irait s'exciter pour des fleurs.

Ce soir-là, au Valet de Carreau, Pierre passa quelques coups de fil dans la commune de Cassins Finch, dans l'Utah, et put parler à la femme.

« Hé, je me souviens de toi, dit-elle. On a cherché une échelle, ce soir-là. »

Pierre se pencha au-dessus du bar avec un stylo et un papier. « Donne-moi ton adresse. Je t'envoie quelque chose.

– Bien ou pas ?

– Bien.

– Je veux pas récupérer le caillou.

– Ce n'est pas le caillou. »

***

Shane suivit la rivière au sud et arriva vers minuit à Chartrand, une ville au bord du cours d'eau, réputée louche en raison de sa concentration inhabituelle en dealers, fourgues et autres book-makers. L'homme qu'il allait voir s'appelait Ned Anderson, l'abréviation de Edmund.

Le commerce de Ned était en partie légal et en partie illégal. Il gérait une agence de location de voitures à l'aéroport régional et vendait de la méthamphétamine sous forme de petites pilules blanches. Il gagnait bien et tranquillement sa vie avec ces deux activités. Il aurait pu gagner davantage en vendant des drogues plus modernes, mais estimait que la *white cross* attirait moins l'attention des flics et de la concurrence.

Il se faisait livrer le *speed* par avion de Californie, court-circuitant ainsi les margoulins des labos qui fabriquaient la *meth*, qu'il considérait comme mesquins et peu fiables. L'agence de location servait de dépôt de marchandises clandestin pour le *speed*. Ned se considérait comme un homme d'affaires normal et mettait un point d'honneur à donner aux œuvres de charité et aux candidats politiques.

Il habitait une maison style ranch dans un quartier où les habitations étaient basses et où seules les boîtes aux lettres étaient ornées. Shane frappa à la porte, et une femme avec une couverture en laine rouge sur les épaules le fit entrer. Sans un mot elle le conduisit à la cuisine, où elle reprit sa place à une table ovale en chêne scié sur quartier.

Elle, Ned et les deux autres étaient en train de goûter un arrivage d'amphétamines. Ils écrasaient les comprimés avec la tranche de pièces de monnaie et inhalaient la poudre à l'aide de billets roulés. Avec l'argent et la poussière blanche sur la table robuste, ils ressemblaient à des employés aux derniers jours de l'activité bancaire.

Ned présidait en tête de table, grand et imposant, avec un gros ventre qui semblait symboliser la puissance plutôt que l'excès de poids, même si c'était pourtant de cela qu'il s'agissait. Ses cheveux et ses sourcils étaient ondulés et d'un roux foncé, et sa tête penchait en avant, affecté qu'il était d'un sérieux strabisme. Il portait un costume gris ordinaire et une cravate bleue desserrée.

« J'ai une bagnole dehors dont tu devrais te débarrasser, dit Shane.

– Pourquoi tu t'en débarrasses pas toi-même ? » demanda la femme qui l'avait fait entrer. Elle avait une frange noire lustrée qui lui arrivait en haut des paupières.

« Je la laisse où elle est si c'est ce que vous voulez, dit Shane.

– Oh là, oh là, ne nous battons pas, dit Ned. Qu'est-ce que tu veux qu'on en fasse ?

– C'est ton bled, c'est toi qui décides, dit Shane.

– Vire ta bagnole d'ici, dit la femme à la couverture rouge.

– On n'a pas été présentés, dit Shane.

– Je te présente Luanne Larsen, dit Ned.

– Enchanté. Moi c'est Shane.

– On sait qui tu es. »

Ned présenta les deux autres, un homme et une femme. Elle s'appelait Jean Story, elle était assise les bras croisés, dans un fin chemisier de coton gris, sourire farouche, yeux verts, regard dur. Le gars s'appelait Lyle Wood-Mills, Shane l'avait déjà rencontré, un mécanicien qui effectuait des livraisons pour Ned et coordonnait son réseau de revendeurs. Pour Shane, Lyle était du genre à toujours se plaindre, toute situation donnée étant toujours pour lui un nid de perspectives négatives, mais Ned le considérait comme capable et même essentiel à ses deux commerces.

« Joins-toi à nous, dit Ned. Cette came est pas mauvaise.

– Elle est fraîche, dit Jean en se frottant le nez du dos de la main. Pas dénuée d'une certaine qualité.

– J'irais pas jusque-là, fit Luanne. Elle est potable. Je peux pas dire que j'adore.

– Je crois que je vais faire un brin de toilette et aller au lit, dit Shane. Il faut qu'on cause d'un truc, mais ça peut attendre demain.

– Quel genre de truc ? » demanda Ned.

Shane alla au réfrigérateur, prit un morceau de gruyère et s'installa au comptoir pour le couper. « D'argent, dit-il.

– Qu'est-ce qui t'est arrivé à la tête ? demanda Jean.

– J'ai eu un accident de voiture.

– Vire la bagnole d'ici, dit Luanne. Et lui, il va pas rester. Dis-lui, Ned.

– Laisse tomber, Luanne, fit Ned. Je lui suis redevable. Les ennuis de Shane sont mes ennuis.

– Ouais, il y a de bonnes chances, répondit-elle. Je sais. Il a fait de la taule à ta place ou une connerie de ce genre.

– Peu importe, dit Ned.

– J'ai pas fait de taule, dit Shane.

– Lyle, vire la bagnole, d'accord ? fit Ned.

– Où ça ?

– Amène-la à l'endroit où on a foutu l'autre. Et retire les plaques. Jean, tu suis Lyle.

– Entendu, Ned.

– C'est une Buick, dit Shane. Où est-ce que je m'installe ?

– Y a une pièce à l'étage avec un vélo d'appartement. Tu peux la prendre.

– C'est là que je fais ma gymnastique, dit Luanne.

– Je me demande s'il y a un truc où ce sera pas la bagarre avec toi, dit Ned. Ça pourrait être n'importe quoi. J'attends toujours. J'espère qu'un jour on trouvera. »

Shane monta à l'étage, prit une douche et s'allongea sur un canapé dans la salle de gym, avec en guise de couverture le manteau qu'il avait volé dans le bar. À un moment donné, plus tard, il ouvrit l'œil et vit Jean dans la pièce. Elle se tenait près de la porte dans son fin chemisier gris en coton, qui semblait flotter dans l'obscurité.

« On s'est occupés de ta bagnole, dit-elle.

– Merci.

– Ned m'a demandé de monter te le dire.

– Bon, bah très bien.

– Et de voir si tu voulais autre chose.

– J'ai tout ce qu'il me faut.

– Une petite gâterie.

– Ah, je pige.

– Ouais, j'ai vu l'ampoule s'allumer.

– Mais on est où, là ?

– On est à Ned-Land. Tu veux tirer un coup ?

– Je veux bien, si tu as envie.

– Pas spécialement.

– C'est rudement sexy.

– Je sais, j'ai des palpitations.

– Laisse tomber. Tu es pas obligée. Et peu importe ce qu'en dit Ned.

– C'est mon patron.

– Où ?

– À l'agence de loc'.

– Tu as pas un endroit à toi ?

– Ça t'embête si je fume ?

– Vas-y. »

Elle s'assit sur l'accoudoir du canapé. Son briquet était un de ces petits chalumeaux qui sifflent et dégagent une colonne de flamme bleue. Elle renversa la tête en arrière et souffla de la fumée en direction du vélo d'appartement. « Mon mec et moi, on est brouillés.

– Comment ça se fait ?

– Il a une petite amie. Tu sais. Alors je lui ai dit : Elle s'en va, c'est elle ou moi. Enfin bref, je me suis tirée. Et ensuite Ned a dit que je pouvais rester ici si je voulais.

– C'était quand ?

– Je sais pas. Il y a un an, peut-être.

– Est-ce que toi et Ned… enfin bon…

– Oh, mon Dieu, non. Il est trop vieux pour moi. Tu me diras, il est trop vieux pour Luanne aussi, mais Luanne vit dans son monde à elle. Tu as vu comment elle est. Tout le temps à l'affût avec Ned, au point qu'elle en est presque à le détester.

– Donc vous faites quoi, vous restez là à vous défoncer au *speed* tout le temps ?

– Pas vraiment. Je veux dire, j'en prends à l'occasion, ça me réussit plutôt bien, mais je suis pas non plus fana.

– Alors pourquoi tu restes ? »

Elle réfléchit à la question, contemplant la pièce. « Je crois que je suis déprimée, dit-elle. Peut-être que c'est ça. Et c'est un bon endroit pour ça. Personne te demande de sortir. On reste avec les stores tirés. On mate des vidéos. Je vais au boulot avec Ned. Y a pas à se plaindre.

– Qu'est-ce que tu ferais si tu devais retrouver quelqu'un ? Sans connaître son nom ?

– Je sais pas. Probablement regarder sur Internet.

– Il habite au nord d'ici.

– Ça fait pas grand-chose à se mettre sous la dent. Quoi d'autre ?

– Il revient juste de Californie, en auto-stop. »

Elle ôta la cigarette d'entre ses lèvres, fit un signe de la main qui tenait la cigarette et hocha la tête. « Ah, bah *voilà*, dit-elle. Voilà un truc à partir duquel tu peux commencer à chercher.

– Sur Internet.

– Euh, non. Juste en parlant à quelqu'un. À moins qu'il ait un blog.

– Qu'est-ce que c'est que ça ?

– Un carnet intime en ligne, dit Jean. Tu penses qu'il pourrait en avoir un ?

– Je sais pas. Putain j'en doute.

– Ouais, probablement pas.

– Tu pourrais m'aider, dit Shane. Les gens confient des trucs aux femmes, qu'ils n'iraient pas raconter à des hommes. Ou si tu as des contacts par là-bas. Je te paierai.

– Combien ? »

Shane réfléchit un moment. « Deux cents. Si je le retrouve.

– Ouais, je sais pas. Je vais y réfléchir.

– Reste encore un peu.

– Ouais ? Pourquoi ?

– Je veux que tu t'assoies sur mon dos.

– C'est un truc sexuel pour toi ?

– Non. J'ai toujours eu des problèmes de dos. Je crois que je me suis fait mal quand mon pick-up est sorti de la route.

– D'accord. »

Shane s'allongea à plat ventre, la tête tournée sur le côté et Jean s'assit sur son dos. Elle s'étendit et posa les bras sur le dessus du canapé.

« Qu'est-ce que ça donne ? demanda-t-elle.

– Ça fait du bien. Ça va beaucoup mieux.

– Qu'est-ce que tu as fait pour Ned ? Il en parlait tout à l'heure.

– Pourquoi tu veux savoir ? Après tu voudras plus t'asseoir sur mon dos.

– Ça peut pas être sordide à ce point.

– Si.

– Dis-moi.

– J'ai mis le feu à une maison, dit Shane. C'était un boulot, je m'étais fait embaucher. Théoriquement la baraque était vide. Sauf qu'il y avait quelqu'un à l'intérieur, et la personne est pas sortie.

– Wow.

– Je t'avais dit.

– Ça c'est moche.

– Je sais.

– C'était qui ?

– Je sais pas. Elle gardait la maison.

– Et tu le savais pas ?

– Non, répondit Shane.

– Oh la vache.

– Et toi, qu'est-ce que tu fais ?

– Quoi ?

– Pour Ned.

– Oh rien. Je surclasse les gens.

– C'est-à-dire ?

– Ils se pointent, ils veulent la voiture en classe économique, je — et elle est morte ? Cette personne ?

– Ouais. C'était il y a deux ans.

– Ned était au courant ?

– Non. On pensait tous qu'elle était vide. Il a dit que c'était de ma faute. Que j'aurais dû savoir. Mais qu'est-ce que tu disais ? Les gens se pointent —

– Et je — Je leur refile juste un véhicule plus cher que ce qu'ils avaient l'intention de prendre. Une autre voiture.

– Comment tu t'y prends ?

– C'est facile. Tu parles tout bas, tu parles lentement. Tu portes un collier en or, le chemisier ouvert de deux boutons.

– Et ensuite qu'est-ce qui se passe ?

– C'est tout.

– Juste l'apparence.

– Ouais. Tout le monde sait ça.

– Les hommes.

– Les hommes, les femmes… les hommes d'affaires, pareil, dit Jean. Bien sûr, ça marche pas tout le temps. Mais je pense que la plupart des gens ont d'une façon ou d'une autre envie d'être surclassés. »

Un jeudi soir, le révérend John Morris de l'église des Quatre Coins entra au Valet de Carreau et s'installa pour dîner. Il venait pratiquement chaque semaine. Il prenait le chevreuil aux oignons, ou le rouget aux tomates grillées, du vin rouge pendant le repas, et du calvados à la fin.

Le pasteur aimait manger et boire, pourtant il était vieux et tourmenté. Il avait absorbé les problèmes de la congrégation et certains autres, personnels. Sa femme l'avait quitté plusieurs années auparavant pour un pasteur plus jeune, et certes elle était revenue au bout de quelques mois, mais il n'avait plus jamais été tout à fait le même. Le passé se lisait dans ses yeux, et il marchait les épaules raides et empli de regret.

« Bonsoir, pasteur », dit Pierre. Il avait deux verres dans chaque main et les mit à sécher.

« Tu sais, la petite décapotable que ton père conduisait ? fit John Morris.

– Bien sûr. La MGA.

– Chouette voiture.

– Sûr qu'elle était chouette.

– Qu'est-ce qui lui est arrivé ?

– Je ne sais pas. Elle a été vendue quand la maison a été vendue.

– Comment se fait-il que tu n'aies rien touché là-dessus ?

– Ça faisait partie de la succession. Je n'ai pas vraiment été impliqué là-dedans.

– Eh bien, je pense l'avoir vue l'autre jour.

– Ah ouais ? Où ça ?

– Elle était en vente au garage où je fais réparer ma voiture.

– Ça ne me déplairait pas de la voir.

– Ma foi, elle n'y est plus. Elle a été vendue le lendemain.

– Dommage, dit Pierre.

– Ouais, je l'ai vue et je me suis dit : C'est Pierre qui devrait la conduire.

– Il l'avait remontée lui-même. Je me souviens qu'il l'avait entièrement démontée au point qu'elle ne ressemblait même plus à une voiture. Il y avait des fils électriques un peu partout.

– Bon, quoi qu'il en soit, voilà les clés. »

John Morris les posa sur le bar. C'était le même trousseau de clés, un petit mors brisé en cuivre.

« Vous l'avez achetée ? demanda Pierre.

– Elle est à toi. J'ai entendu dire que tu refaisais de l'auto-stop, ensuite j'ai vu la voiture et tout m'a alors semblé clair et limpide. »

Ils sortirent du bar et allèrent jusqu'à la lisière du parking, près du ruisseau, où la voiture était garée. Pierre marcha à côté en laissant traîner sa main le long de la courbe effilée de l'aile.

« Vous êtes sérieux, John ? Vous avez payé ça combien ?

– Pas tant que ça. J'ai baptisé les gamins du vendeur, alors il m'a fait un bon prix. »

Après la fermeture du bar, Pierre et le chef cuisinier, Keith Lyon, montèrent dans la voiture et partirent faire un tour. Ils roulèrent jusqu'à la Pente, burent un verre ou deux et fumèrent un joint.

« Tu dois une fière chandelle à ce prêtre, dit Keith.

– Je devrais probablement aller à l'église maintenant, ou faire quelque chose.

– Une fois ou deux, ça ferait pas de mal.

– Hé, écoute. Il y a peut-être quelqu'un à mes trousses.

– Pourquoi ?

– J'ai piqué un truc à quelqu'un. »

Keith ouvrit la boîte à gants. « La loupiotte fonctionne encore, dit-il. Bon, bah je suppose que tu pourrais rendre ce que tu as pris.

– Je ne l'ai pas.

– Qu'est-ce que c'est ?

– Soixante-dix-sept mille dollars.

– Vraiment ? Là, c'est autre chose, hein. Qu'est-ce que tu as fait de tout cet argent ?

– Je l'ai donné.

– Volé et donné.

– Non, dit Pierre. Je ne l'ai pas volé. Je ne dirais pas que c'est du vol. C'était plus une sorte de pari, mais il n'a pas compris combien il pariait.

– Il va falloir que tu me racontes de quoi on parle, là. »

Ils sortirent de la voiture, marchèrent jusqu'au bord de la Pente et se mirent à lancer des pierres dans l'eau tandis que Pierre expliquait ce qui s'était passé.

« Donc, ce que tu es en train de me dire, fit Keith, c'est que ce type t'a piqué tes vêtements et que toi tu lui as piqué assez d'argent pour t'acheter une maison.

– Eh bien, non, dit Pierre, parce que j'ai récupéré les vêtements.

– C'était pas son jour, hein ?

– Non.

– Il s'appelle comment ?

– Je ne sais pas. Un gars aux cheveux longs. Un costaud.

– Oh putain, et tu l'as eu avec un caillou ?

– Ouais.

– Tu sais dessiner ?

– Un peu. »

Ce qui était vrai. Une année, au printemps, après avoir terminé la fac, Pierre avait eu une phase d'enthousiasme pour l'illustration. Il avait potassé la perspective, l'ombrage, et comment mesurer des objets éloignés en utilisant uniquement le pouce et un crayon. Il s'acheta un bloc à dessins et des crayons bleus 2H et réalisa des dessins tout à fait corrects de femmes, de chaises et de chaussures de sport avant de s'en désintéresser.

« Dessine peut-être un portrait du type, dit Keith. On pourrait faire des photocopies, les distribuer un peu.

– C'est une bonne idée.

– Tu as des amis. Roland Miles adorerait probablement tout ce qui pourrait aboutir à une possibilité de violence. Il est au courant ?

– Ouais.

– Et puis il y a la police.

– Je ne veux pas leur dire, fit Pierre. La première chose qu'ils voudront savoir c'est où est l'argent. Or si on ne parle pas de l'argent, rien ne justifie leur passage à l'action. Tu sais, "Il y a un gars, peut-être, je ne sais pas comment il s'appelle ni où il est". Tu parles, ils ne prendront même pas la peine de noter ça par écrit.

– Tu connais Telegram Sam ? »

Surnommé ainsi en raison de sa manière laconique de s'exprimer, Telegram Sam était un agent de police basé à la caserne de Gamelon et qui venait au Valet de Carreau de temps en temps.

« Je l'ai vu, dit Pierre.

– Tu devrais lui dire.

– Je vais y réfléchir. Tu as déjà eu quelqu'un à tes trousses, toi ?

– Une fois, ouais, dit Keith. Avec un ami, on était dans un bar à La Crosse, et quelqu'un lui cherchait des noises à propos de quelque chose. Je me rappelle plus quoi. Ça remonte à des années. Enfin bref. Toujours est-il que j'ai dit au gars de la boucler, pas à mon ami mais à l'autre. Et il l'a bouclée. Il s'est mis en retrait, ce qui sur le coup a été un peu une leçon pour moi, et j'ai cru qu'on allait en rester là. Sauf qu'ensuite lui et *ses* amis m'ont retrouvé deux semaines plus tard dans un autre bar et m'ont cassé la figure, mais bien. Tu sais. Ils sortaient du boulot en usine et moi j'étais un peu bourré, alors tu peux imaginer le topo. C'est le soir où j'ai perdu mon chapeau. Le premier chapeau que je m'étais acheté avec mon argent. Je me l'étais acheté dans un magasin de vêtements hommes pour, genre, vingt-neuf dollars. »

Keith resta silencieux un moment, se remémorant son chapeau.

« Alors fais pas comme moi, dit-il. J'ai rien fait. Ça a été une erreur. »

Ce soir-là, Pierre rentra chez lui et essaya de dessiner le conducteur du pick-up. Il s'assit à son grand bureau métallique avec la lampe design, du papier, un crayon et une gomme Artgum. Il travailla à son dessin pendant plus d'une heure, tâchant de le représenter tel qu'il se le rappelait, au volant du pick-up, à moitié tourné vers l'observateur.

Le visage lui posa problème. Les visages lui avaient toujours posé problème. Parfois il les laissait en blanc, ce qui donnait quelque chose de plus artistique que ce qu'on aurait pu croire. Il était difficile de rendre les yeux correctement. Trop de détails, ils paraissaient fous. Trop peu, on aurait dit du charbon. Cette fois-ci, il essaya de communiquer les manières évasives de l'Expert Distingué en faisant en sorte que ses yeux regardent d'un côté. Mais cela donnait juste l'impression que quelque chose d'intéressant avait lieu en dehors de la page.

Il se souvenait de ce qu'il avait pensé du conducteur à son visage. Que c'était un malhonnête qui s'apitoyait sur son sort et puisait dans ce sentiment pour motiver et justifier tout ce qu'il avait envie de faire. C'était souvent l'autoapitoiement qui rendait les gens cupides et mauvais. Mais Pierre ne parvint pas de manière satisfaisante à se fonder sur ces impressions pour retrouver les caractéristiques physiques qui les avaient inspirées. Il redessina et rééffaça à maintes reprises. Des miettes de gomme Artgum jonchaient le papier et le bureau.

Même au summum de son art de dessinateur, il n'avait jamais su dessiner les visages.

C'est une chose singulière et déconcertante d'imaginer que quelqu'un est à vos trousses, sans aucune preuve au-delà de la simple hypothèse que le fait est plus que probable.

On se met dans la peau du poursuivant imaginé, on essaye de deviner ce qu'il pense. On finit presque par l'encourager, par lui donner des conseils utiles. *Pourquoi ne pas appeler les bars ? C'est comme ça que j'ai retrouvé la femme à qui j'ai envoyé tout votre argent.*

Peut-être était-il lui aussi dessinateur autodidacte, il avait peut-être dessiné un portrait de Pierre, et maintenant ils étaient tous deux face à face, séparés d'une distance inconnue, chacun armé de son croquis rudimentaire et trop approximatif pour que la personne figurée puisse être reconnue.

Pierre dormait avec une pince serre-tube près du lit au cas où il lui faudrait se relever pour frapper quelqu'un. Il tendait l'oreille, essayant de repérer des bruits de pas de l'autre côté de la porte, et, lorsqu'il en entendait, il sortait pour s'assurer que ce n'était rien, sans se munir de la pince, car il savait qu'il ne pourrait jamais vraiment frapper quiconque avec, se retrouvant alors dans la pire posture au cas où il y aurait eu quelque chose, ce qui n'arrivait jamais.

Il se demandait comment cela allait se terminer, imaginait les différentes manières. Sur le rivage. Sur une colline. Sur sable, herbe, sur planches de bois tendre. Ou dans une maison, avec un tapis élimé et une bougie coulant sur le buffet.

Le soleil se couche et dehors le vent souffle en rafales. Il y a une période d'attente. Des détonations de pistolet comme à la télé. Quelqu'un meurt et voilà, mort à jamais, aussi difficile à croire que cela puisse paraître. On entend une musique, une musique au loin.

Franchement, il pensait que rien n'en sortirait. Car c'est habituellement le cas. Les gens passent leur vie à imaginer le pire et le meilleur quand, plus typiquement, c'est le truc moyen qui se produit.

Sans doute parce qu'il l'avait gardé moins d'une semaine, l'argent ne lui semblait pas réel. Et, comme il l'avait lu quelque part, l'argent n'est que le symbole de ce qu'il peut acheter. Mais soixante-dix-sept mille dollars est le symbole de beaucoup de choses à acheter.

Il se demanda qui étaient ceux qui pensaient en priorité à l'argent et si ces gens-là n'avaient pas du mal à convaincre les autres de prendre cette idée au sérieux.

Pierre détestait tout le temps perdu à réfléchir à ces choses-là. Il aimait aborder chaque instant avec fraîcheur, sans s'inquiéter de ce qui avait pu se produire deux mois auparavant, voire dix minutes plus tôt. Il voulait continuer à regarder droit devant, affranchi du passé.

Cependant il s'inscrivit à un cours d'autodéfense à Desmond City.

Le prof était petit et plutôt ratatiné, il s'appelait Geoff Lollard et avait une boutique près de la gare de triage. Lollard n'était plus tout jeune et son allure modeste était un argument de vente. Il devait être rudement bon parce que physiquement, il n'était vraiment pas impressionnant.

Lollard et Pierre s'assirent sur des sièges pliants et discutèrent avant le premier cours de Pierre. Le cours était intitulé Frapper, Détourner, Marginaliser, et les élèves ne portaient pas de kimono parce que Lollard estimait que cela créait un sens factice d'accomplissement, même si, disait-il, il aurait pu se faire beaucoup d'argent en vendant des kimonos au fil des ans. Il disait que les films d'arts martiaux avaient suscité auprès du public des attentes irréalistes. Il n'était pas possible de voler, de traverser un lac en courant, ni de tenir debout sur des saules, comme dans *Tigre et Dragon*.

« N'empêche, quel film génial, dit Pierre.

– Peut-être, dit Geoff Lollard. Mais vous ignorez ce qu'il y avait de génial dans ce film. Quand vous vous serez entraîné pendant un an, regardez-le à nouveau, et vous apprécierez les passages géniaux.

– J'aime bien la fin.

– Ce n'en est pas une.

– Moi j'ai vraiment accroché.

– Je veux bien le croire. Je ne l'ai pas regardé pour les émotions mais pour les aspects plus techniques. Maintenant dites-moi, monsieur Hunter. Vous êtes en plein combat. Quel est l'objectif ?

– Gagner.

– Non.

– Euh, alors je ne sais pas.

– Considérez un combat comme les deux niveaux d'un même bâtiment. Le rez-de-chaussée est le début du combat, le premier étage la fin. Il y a un escalator et un ascenseur. Lequel voulez-vous prendre ?

– L'escalator, répondit Pierre.

– Et moi je préfère l'ascenseur. Vous comprenez cela ?

– Pas vraiment.

– Il y a votre chemin, et le chemin de votre opposant, et ce ne sont pas les mêmes. Le combat est le processus consistant à découvrir quel chemin s'ouvre à vous. Si vous pensez juste à gagner, vous regardez au-delà de ce que vous avez besoin de voir.

– Vous voulez qu'il joue votre jeu.

– Oui. C'est cela qu'on entend par marginaliser. Maintenant, je pense qu'on devrait disputer un petit combat pour que je voie un peu votre niveau. Essayez de me frapper de n'importe quelle façon, celle que vous préférez.

– Au poing ?

– Peu importe. »

Lollard déclencha un minuteur et ce fut parti pour quatre-vingt-dix secondes. L'expérience eut beau être douloureuse, Pierre passa l'essentiel du temps à reculer en riant. Il ressentit de la gêne à être rué de coups sur le tatami par cet étrange petit prof d'arts martiaux. Finalement, Lollard assena à Pierre un coup de talon dans le plexus solaire, et Pierre s'immobilisa, les mains sur les genoux, suffoquant, essayant de reprendre son souffle.

« Pas vu venir, celui-là, dit-il.

– Le coup de pied est un des trucs les plus faciles à gérer si vous savez ce que vous faites, dit Lollard. Nous commencerons peut-être par le coup de pied. »

Pierre eut trois entraînements par semaine dans le cours des débutants durant le mois de septembre. À ce stade il atteignait une sorte d'épuisement paisible comme il n'en avait plus connu depuis l'époque où il jouait au football américain au lycée. Après cela il allait sur un banc dans le parc où il s'était rendu avant son arrestation le soir du Nouvel An, et buvait une bouteille de Foster's. Le visage encore chaud après l'effort physique, il s'asseyait dans les ombres de l'après-midi.

Un jour, les Carbon Family étaient en train d'installer leurs instruments pour un concert dans le parc. La chanteuse Allison Kennedy vint le voir et s'assit sur le banc, dans une robe de crêpe blanc avec des fleurs rouges et noires.

« Hé, j'ai entendu dire que tu sortais avec ma cousine, dit-elle.

– Stella, dit Pierre.

– Ouais.

– C'est ta cousine ? Je le savais pas, ça.

– Qu'est-ce que tu sais d'elle ?

– Qu'est-ce que je devrais savoir ?

– Fais juste attention. C'est tout ce que j'ai à dire.

– Pourquoi ?

– Eh bien, bon, elle est tombée ; tu es au courant.

– Non, j'ignorais. Tombée de quoi ?

– D'une échelle. Elle enlevait des contre-fenêtres et elle est tombée de l'échelle. Le gars du fioul l'a retrouvée sur le côté de la maison. C'était plutôt moche. Elle est restée longtemps à l'hôpital. Ils ont même pensé qu'elle survivrait pas.

– C'était quand ?

– Je sais pas. Un an et demi, je dirais. Pas le printemps dernier mais celui d'avant.

– Elle a l'air d'aller bien maintenant.

– J'espère que c'est vrai, dit Allison, mais comment je le saurais ? Tu vois, parce que quand elle est sortie de l'hôpital, on aurait dit quelqu'un d'autre. Elle a coupé les ponts avec sa famille. J'ai essayé d'aller la voir ; elle a pas voulu venir à la porte. Au lieu de ça, il y avait un vieux que j'avais jamais vu. Il a dit qu'elle recevait pas de visite. Je lui ai donné des fleurs, tu sais, qui étaient pour elle.

– C'était ici ou dans le Wisconsin ?

– Ici. Au lac. Pourquoi le Wisconsin ?

– C'est de là qu'elle vient. Elle me l'a dit.

– Non, c'est faux. Stella a toujours vécu ici. C'est ça que je veux dire, Pierre. Quelque chose s'est mis à plus tourner rond dans sa tête ; je suis désolée, c'est comme ça. Les médecins ont dit qu'ils avaient aucune raison de la garder. Mais ils auraient eu plein de raisons, s'ils l'avaient connue.

– Elle voulait peut-être oublier ce qui s'était passé. Et c'était sa manière à elle de le faire. »

Allison Kennedy tendit la main, il y plaça la bouteille de Foster's et elle but une gorgée puis lui rendit la bouteille.

« Écoute, tu veux oublier quelque chose, tu l'oublies, dit-elle. Tu te caches pas chez toi en disant aux gens que tu viens du Wisconsin. »

L'agence de location de véhicules de Ned se trouvait dans un bâtiment en forme de boîte carrée à la lisière de l'aéroport. Jean parlait au téléphone tandis que Shane était appuyé sur le comptoir et écoutait.

« Un harmonica, dit-elle. Ouais. Une très belle pièce. Argenté avec – hum, des incrustations. Je l'ai trouvé à côté du siège, et je me suis dit : Bon, alors d'où est-ce que ça vient ? C'est là que je me suis rappelé ce gars que j'avais pris en stop. Mais le problème c'est que je n'ai pas saisi son nom. Peut-être Pete. Ou ça pourrait être Pat. Tout ce dont je suis sûre c'est qu'il revenait de Californie en auto-stop et qu'il habite quelque part près de chez vous. Donc j'appelle un peu partout en espérant le retrouver parce que je sais qu'il aimerait bien récupérer cet harmonica. Ça m'avait l'air d'être un héritage de famille peut-être… Ouais… Okay. »

Elle couvrit de sa main le micro du téléphone. « Ils vérifient », dit-elle.

Shane prit une agrafeuse rouge et souleva la partie supérieure pour voir s'il y avait des agrafes à l'intérieur. « Et s'il a pas d'harmonica ?

– Comment le sauraient-ils ? Peut-être qu'il vient juste de s'y mettre.

– Tu devrais dire que c'est un chèque, que tu as retrouvé un chèque.

– Il y aurait pas son nom dessus ?

– Ah, oui.

– Allô ? fit Jean. Ouais, bonjour… Ah bon ? Vraiment ?… Hon-hon. Californie. L'État… Oui, c'est possible. Eh bien, est-ce qu'il fait de l'auto-stop ?… Bien sûr. N'importe qui. D'accord, et redites-moi comment il s'appelle… Super. Il va être tellement content de récupérer son harmonica. »

Elle raccrocha et griffonna quelque chose sur son bloc.

« Ils le connaissent ? demanda Shane. C'est qui ? »

Elle arracha la feuille du bloc et la lui tendit. « T'emballe pas.

Ça pourrait être lui mais j'en mettrais pas ma main au feu. Ils ont dit qu'il allait pêcher au Wyoming et peut-être en Californie, mais ils étaient pas sûrs.

– Tu parlais à qui ?

– Un pompier dans un bled qui s'appelle Arcadia. Il a dit que ce type faisait peut-être de l'auto-stop, mais probablement uniquement si ça voiture était en panne.

– Pourquoi un pompier ?

– Les casernes de pompiers sont au courant de tout dans ces petites communes.

– Hmm, je sais pas, fit Shane.

– C'est le seul indice que j'aie, pour l'instant », dit Jean.

Il y avait une pile de cartes routières, Shane en prit une et l'agrafa au bout de papier. « Continue à passer des coups de fil, d'accord ?

– Je vais continuer, oui. »

À cet instant, un homme entra dans le bureau. Il portait une veste de costume bleue et un pantalon beige, il avait des cheveux clairsemés, ramenés en crête sur la tête.

« Je suis monsieur Bromley, dit-il. J'arrive juste de Milwaukee, et je devrais avoir une Malibu réservée, je crois. »

Jean fouilla dans les papiers étalés sur son bureau. « Eh bien, oui, monsieur Bromley, voilà. Je vais vous demander votre permis de conduire et une carte de crédit. »

Il les sortit de son portefeuille et les lui tendit. Elle regarda d'un air songeur le permis, l'homme, puis de nouveau le permis.

« Quelque chose ne va pas ? demanda-t-il.

– Je suis navrée, fit Jean. Je suis un peu déconcertée parce que vous paraissez plus jeune en réalité que sur la photo. J'espère que ça ne vous ennuie pas.

– Bien sûr que non.

– Vous savez, la sécurité et tout.

– Non, je comprends bien. Je bosse moi-même dans la sécurité.

– Eh bien, heureusement qu'il y en a qui s'y collent, de nos jours. » Elle effleura les maillons de son collier. « Les choses qu'on lit, on préférerait ne même pas les lire. Dites, à propos, on a une promo aujourd'hui sur la Park Avenue. Je n'essaye pas de vous la refiler, mais je sais qu'il y a des gens qui aiment être informés, parce que la Park Ave est juste un peu *mieux.*

– Mais vous avez une Malibu sur le parking.

– Oh, oui. Elle est derrière, près de la barrière, dit Jean. Très nerveuse, apparemment.

– Et elle fait combien de plus, la Park Avenue ?

– Vingt-neuf dollars et des poussières.

– Je vais vous dire ce que je vais faire.

– Qu'allez-vous faire, monsieur Bromley ? »

Après le départ du client au volant de la Park Avenue, Jean dit : « Et voilà le travail.

– Si ce gars bosse dans la sécurité, on comprend pourquoi y a pas de sécurité, dit Shane. Il me faut une voiture.

– Prends la Malibu. »

Pierre et Stella étaient assis sur le canapé en train de lire, chez elle, un soir, vers la fin septembre. Il faisait frais dans la pièce, et un petit ventilateur tournait lentement, posé sur un cageot parce qu'ils en aimaient le son. Stella lisait le livre sur le temps qu'il lui avait donné et Pierre lisait *Histoires de Hanrahan le Roux,* qui avait été écrit par Yeats « avec l'aide de Lady Gregory ».

Au bout d'un moment, Stella posa son livre. Elle tendit les bras au plafond, inclina la tête, et bâilla. Ses yeux s'écarquillèrent, ses mains se refermèrent en poings serrés dont les articulations se touchèrent au-dessus de la tête, et elle dit : « Aïe », d'une voix aiguë et douce.

C'était le bâillement le plus beau que Pierre eût jamais vu de sa vie. Elle portait une robe de lin sans manches avec une fleur orange sur le devant. Il venait de lire comment Hanrahan avait perdu une année après sa rencontre avec la fille de la Main d'Argent.

« Ai-je déjà été ici, sinon où étais-je par une nuit comme celle-ci ? » demandait Hanrahan dans l'histoire.

« D'où es-tu, dans le Wisconsin ? demanda Pierre.

– Du Nord, répondit-elle. Pourquoi ?

– J'ai parlé à quelqu'un que je connais. Allison Kennedy.

– Ah, oui.

– Elle a dit qu'elle était ta cousine et que tu avais toujours vécu ici. »

Stella se leva et marcha pieds nus dans la pièce. Elle disposa ses doigts en forme de clocher et les pressa contre ses lèvres, puis effleura le devant de sa robe en lin.

« Qu'est-ce qu'elle a dit d'autre ?

– C'est ta cousine ?

– Oui.

– Que tu es tombée d'une échelle et que tu as failli y rester, et qu'après tu avais complètement changé.

– C'est vrai aussi, dit Stella. Et c'est bien sûr ce qui les blesse et c'est pour ça qu'ils racontent des histoires à mon sujet. Ils ont dit que j'avais changé. Et c'est vrai. Je suis désolée que ce soit douloureux. Mais je ne peux pas modifier ce qui s'est passé ce jour-là. Je ne peux pas faire revenir la personne qu'ils connaissaient.

– Ce n'est pas grave, Stella.

– Mais quand ils disent que je n'ai jamais habité dans le Wisconsin, je ne comprends pas. Qu'en savent-ils ? Est-ce qu'ils ont noté par écrit tous les endroits où je suis allée ? Est-ce qu'ils m'ont suivie partout avec un carnet ?

– J'en doute, dit Pierre.

– Les gens changent. Ils passent d'un état à un autre. Est-ce vraiment si difficile à comprendre ?

– Écoute, je me fiche de savoir d'où tu viens. Et je suis désolé que tu sois tombée, mais ça ne change rien pour moi. »

Elle lui prit le livre des mains, le posa avec l'autre sur le cageot et s'allongea sur le canapé, les pieds sur le dossier.

« Sauf que cet automne c'est moi qui installerai les contre-fenêtres, dit Pierre.

– Tu viendras ici ? demanda-t-elle.

– Ouais.

– Tu viendras s'il te plaît ? »

Parfois Shane rêvait à la femme qui avait péri dans le feu. Une fois, il traversait un champ à côté de la rivière et elle le suivait à dix pas sans dire un mot, si ce n'est à la fin pour lui demander où il allait, et il répondait San Antonio, et elle disait que c'était bien ce qu'elle pensait.

Dans un autre rêve, elle apparaissait en ange vengeur dans un chariot tiré par un cheval, descendant sur terre, auréolé par la pleine lune dans son dos, s'acheminant vers une soirée organisée dans un jardin. Elle n'était au début qu'un grain de poussière mais grandissait jusqu'à occuper toute la lune. Le bonheur de la foule à la vue d'un ange se transformait en peur panique lorsqu'elle se mettait à leur lancer des tridents avec son arc.

Étrangement, Shane préférait le deuxième rêve. Il préférait imaginer l'espace comme berceau des guerriers surhumains plutôt que vide infini aux rochers déchiquetés tournoyant dans leur course vers nulle part. Même si les guerriers venaient pour lui.

Oui, songea-t-il. C'est comme ça qu'ils disaient.

Il avait grandi au sein d'une famille honnête dans la ville de Limonite, près de la frontière canadienne. Deux frères, trois sœurs. Son père était gérant d'un couvoir et sa mère auxiliaire juridique. Shane avait commencé à voler de l'équipement électronique à l'université et avait déjà mis de côté dix-neuf mille dollars lorsqu'il obtint sa licence en communication. Une fois le diplôme en poche, il passa aux cambriolages chez des particuliers. Il apprit à s'y connaître en matière d'or, d'argent, de porcelaine et de meubles, et commença à savoir distinguer ce qui valait le coup du reste. Parfois il se rendait en voiture à Chartrand, où il y avait de l'argent, et c'est ainsi qu'il rencontra Ned, qui avait à l'époque un magasin d'antiquités, ainsi que d'autres commerces.

***

L'incendie de la maison était simple sur le papier et dans les faits. C'était une maison de vacances dans la ville de St. Ivo, Wisconsin, et le propriétaire voulait qu'elle soit détruite, pour que sa femme ne l'obtienne pas au terme du jugement de divorce. Il disait que la maison était vide depuis des mois, que sa femme était partie en croisière en Alaska, et ne serait donc pas là. Cela semblait certes une entreprise amère, mais, comme disait Ned, on voit de tout à un moment ou à un autre. Il donna à Shane une carte routière, une adresse et une photo de la maison, et Shane effectua les trois heures et demie de route jusqu'à St. Ivo et trouva la maison en fin d'après-midi. C'était une vieille bâtisse dans la campagne avec des treillis de bardeaux argentés et des lucarnes tout autour.

Ensuite Shane roula vers l'est pendant une autre heure, prit une chambre dans un motel, et retourna à St. Ivo en milieu de nuit. Il brisa la vitre d'un soupirail, força le verrou pour l'ouvrir et pénétra à l'intérieur. Il déplaça le faisceau de sa lampe torche dans le sous-sol, trouva un vieux fauteuil, qu'il tira jusqu'à l'escalier et qu'il bourra de journaux. Puis il dispersa quelques bouteilles de vin pour égarer d'éventuels enquêteurs, mit le feu aux journaux, et sortit de la maison. Il se tint à la lisière des arbres assez longtemps pour voir le feu monter aux fenêtres, puis il rentra en voiture à son motel.

Ned appela Shane à Limonite quelques jours plus tard pour lui annoncer qu'une femme avait été embauchée par l'épouse pour garder la maison.

Une monitrice de ski, et elle était morte dans une chambre, au deuxième étage.

À partir de ce moment-là ce fut le début de la dégringolade de la carrière criminelle de Shane. Il se sentit trahi par le sang qu'il avait sur les mains. Il devint approximatif et peu efficace, lui qui avait toujours été méticuleux et précis. Il se remit à braquer des voitures, et parfois il se contentait de lacérer les sièges et de détruire le tableau de bord à coups de pied sans rien prendre.

L'argent qu'il avait accumulé avait fondu en un peu plus d'un an. La banque lui confisqua sa voiture et son propriétaire le poursuivit en justice pour l'expulser. C'est alors qu'un agent de sécurité qu'il connaissait lui raconta une histoire. Apparemment, le gérant d'un lave-auto de Limonite se mettait dans la poche une partie des recettes depuis des années, et planquait l'argent dans un coffre qu'il gardait chez lui. L'agent de sécurité se disait que lui et Shane pourraient cambrioler la maison et braquer le coffre-fort au chalumeau.

Shane l'en dissuada. Trop risqué, dit-il, et puis avec cette méthode, les billets risquaient de brûler au passage. Le type ne comprit pas qu'en refusant Shane avait une idée derrière la tête. Avec un peu de jugeote, il n'aurait d'ailleurs pas parlé de ce coffre à Shane. L'agent de sécurité n'avait pas envie de faire ce coup, il voulait juste en rêver.

Mais quelques soirs plus tard, Shane prit son vieux pick-up bleu pour se rendre chez le gérant du lave-auto et le força à ouvrir le coffre. Il y en eut pour une demi-heure de cris et de coups. C'était un homme frêle, dans la quarantaine, avec une importante collection de trophées sportifs, et buté, après tant d'années passées à accumuler l'argent en sachant qu'il serait toujours là. Shane ligota l'homme au radiateur avant de partir, mais ne serra pas très bien, manifestement, car au moment où Shane s'en allait au volant de son pick-up, l'homme sortit de chez lui avec un fusil, tira et fit un trou dans la lunette arrière du véhicule de Shane.

Au début, on put à peine localiser l'impact de la balle, mais dans la nuit, la vitre se lézarda en mille morceaux et Shane repoussa le tout à l'extérieur, sur le plateau du pick-up, puis balaya tous les petits morceaux au sol.

« Tu es au courant pour Pete ? demanda Roland Miles.

– Pete qui ? »

Pierre et Roland sortaient de Shale et marchaient vers le nord, sur le sentier le long du chemin de fer. Ils avaient leurs carabines et allaient dégommer des bouteilles dans un petit bois, à deux kilomètres.

« Oh, tu sais bien. *Pete.* Bon sang c'est quoi, son nom ? »

Pierre scrutait les traînées d'un avion à réaction qui s'étaient déployées en éventail dans l'arc bleu clair du ciel.

« Pete de la quincaillerie ?

– Non, fit Roland. Il est toujours à l'Auberge de la Pipe en Terre. À vendre, je sais plus quoi, des produits nettoyants au porte-à-porte ou des trucs. C'est, genre, un de ces boulots où tu comprends pas comment il l'a eu ni comment il gagne des ronds.

– Pete Marker.

– Ouais. Pourquoi je retrouvais plus ce nom ?

– Pourquoi, qu'est-ce qu'il a fait ?

– Il s'est fait braquer.

– Je n'étais pas au courant.

– Eh ben, il est en train de quitter le Lavomatic à Arcadia l'autre soir, il monte dans sa voiture, tu sais, et c'est exactement comme dans les films, y a un gars qui est déjà *dans* la voiture, à l'arrière, avec un couteau.

– Je croyais que Pete Marker conduisait un pick-up.

– Ouais, mais avec une cabine allongée.

– Bon et alors, que voulait-il ?

– De l'argent. L'avait un grand couteau à lame pliante. Et, bien sûr, Pete Marker, tu sais, il a, genre, quatre dollars sur lui, à peu de chose près. Ce mec a jamais un rond sur lui. Il doit plus de fric que ce qu'on pourra jamais lui extorquer.

– Il a dû avoir la trouille.

– Bah tiens, oui. Il est retourné au Lavomatic, tout tremblant. Ils l'ont pas cru, au début. Ils ont été du genre : "Du calme, Pete."

– Et le gars au couteau ?

– Fichu le camp.

– Bizarre, dit Pierre.

– Oui, hein ? Ça remonte à quand la dernière fois qu'un type s'est fait braquer avec un couteau à Arcadia ?

– Je ne sais pas.

– Pour quatre dollars ? Eh oui, parce que ça arrive jamais. Alors je me disais. Pete Marker. Pierre Hunter. Il y a des Pierre qui, en fait, se *font appeler* Pete. Ça pourrait être le gars à qui tu as piqué l'argent.

– Ce serait plus logique s'il connaissait mon nom.

– Je sais, tu l'as déjà dit. Mais tu te tapes toute la traversée depuis le Minnesota et pas une seule fois "Bonjour je m'appelle Machin-Chose"? Ça tient pas debout.

– Eh bien, on voit que tu ne fais pas d'auto-stop. Ce n'est pas comme la Chambre de commerce.

– Quelqu'un s'arrête, tu sais, "Allez, montez. Comment vous appelez-vous, étranger ?" et toi tu te la joues : "Vas te faire foutre"? Je pige pas.

– Ah, je lui ai peut-être dit, fit Pierre. Ça m'est égal si je le lui ai dit. Je m'entraîne avec Geoff Lollard.

– J'espère que tu as conscience du ridicule de ce que tu racontes.

– Oui. C'est pour ça que je l'ai dit. Mais c'est un bon entraînement physique.

– Et s'il a un couteau ?

– Il y a une technique face à quelqu'un qui a un couteau. Tu saisis la main qui tient le couteau et tu l'écrases contre quelque chose jusqu'à ce que le gars lâche le couteau.

– Et tu es capable de faire ça ?

– Eh bien, je ne sais pas, mais je n'avais encore jamais pensé que le gars pourrait avoir un couteau. »

Ils continuèrent à marcher, leurs bottes crissaient sur le gravier à côté des traverses du chemin de fer.

« Je ris à la face du danger, déclara Pierre.

– C'est ça, oui.

– Ouais. Il faudrait que tu m'entendes. »

Roland leva la main, comme pour prêter serment. « Qu'est-ce que c'est que ça ? »

Pierre s'immobilisa et tendit l'oreille. Quelque chose s'éloignait d'eux dans l'herbe entre la voie ferrée et la barrière. Roland fut le premier à voir l'animal, puis Pierre l'aperçut qui courait le long de la clôture avec son pelage couleur champagne luisant au soleil.

« Qu'est-ce que c'est ? demanda Pierre.

– Je dirais un blaireau », répondit Roland.

Stella était assise tout au bout du terrain, au-delà des arbres, et le lac s'étendait sous elle, et le reflet de la lune poursuivait sa course sur l'eau. Tim Geer était agenouillé non loin, un couteau posé sur le dos de sa main, qu'il envoya négligemment voltiger d'une pichenette et qui alla se planter dans la terre.

« Ça va durer encore combien de temps ? demanda-t-elle.

– Ce sera bientôt fini, dit-il. Sois patiente. J'ai encore un truc à faire, mais ta partie est terminée. En fait, elle est plus que terminée.

– Qu'est-ce que vous voulez dire par là ?

– Tu es trop proche de Hunter, voilà ce que je veux dire.

– J'ai envie de tout lui dire.

– Il y croira pas si tu lui dis.

– J'ai juste l'impression qu'on lui a tendu un piège.

– Tendu un piège ? Tu le sors de l'eau alors qu'il était en train de crever.

– Mais pour quoi ? Je veux dire. Pour mourir d'une autre manière.

– Ça je sais pas.

– Mais si, vous le savez très bien.

– Il a pris l'argent. C'est pas moi qui l'ai obligé à faire ça.

– Vous saviez qu'il le prendrait. »

Tim déterra le couteau, essuya la lame en la faisant passer entre le pouce et l'index de sa main gauche.

« Deux choses différentes, dit-il.

— Vous avez dit qu'il vous restait quelque chose à faire, dit-elle. Qu'est-ce que c'est ?

— Il faut que j'aille me perdre.

— Comment ça ?

— Je ferais mieux de pas le dire. »

Ils se levèrent et traversèrent le bois de conifères jusqu'à la lumière de la maison de Stella. À la lisière de la clairière, la forme pâle d'un chat-huant battit des ailes dans l'herbe, s'immobilisa, puis s'ébroua de nouveau. Stella ramassa le hibou en plaçant les mains autour de ses ailes, puis fixa ses yeux sombres et écartés. Elle leva ensuite les mains et le hibou prit son envol et s'en fut.

Tim monta dans sa voiture et partit, Stella rentra chez elle et alla au lit. Elle s'allongea dans le noir et réfléchit longuement.

Tim n'avait pas tort. Pierre ne croirait pas ce qui lui était arrivé. Personne ne le croirait.

Elle s'était réveillée dans une chambre en feu, les murs éventrés par les flammes, et elle s'était dirigée vers la fenêtre. Mais le feu se déplaça dans le même sens, déferla sur elle et la plaqua au sol, et c'est seulement quand elle émergea par la fenêtre sans tomber qu'elle comprit qu'elle s'était glissée entre deux vies. Elle avait déjà fait cela auparavant, elle savait ce que c'était, mais jamais sous le coup de la violence.

Pendant des semaines elle arpenta la campagne sans autre forme qu'une ombre. Elle cherchait Tim Geer. Il ne fut pas facile à trouver, car ils n'étaient pas nombreux ceux qui pouvaient l'entendre quand elle parlait, et moins nombreux encore ceux qui furent assez courageux pour lui répondre.

Et pourtant ceux qui répondirent tendaient à connaître Tim, ou avaient entendu parler de lui, ou bien connaissaient quelqu'un qui l'avait rencontré, et au fur et à mesure elle se rapprocha de la Contrée Immobile, où un beau jour, en fin d'après-midi, elle le trouva dans son jardin, non loin d'Eden Center, tisonnant un feu d'ordures à l'aide d'un bâton.

« Vous pouvez m'aider ? » demanda-t-elle.

Il regarda autour de lui. « Je vais essayer.

– Vous entendez ce que je dis.

– Clairement.

– Je suis pour ainsi dire dans une fâcheuse situation.

– Tu as péri, dit-il. Il y a eu un incendie.

– C'est exact, dit-elle. Et il faut que je trouve celui qui l'a déclenché.

– C'était peut-être électrique.

– Je ne pense pas.

– J'en saurais plus si je pouvais prendre ta main. Mais pour ça, il faudrait que tu aies des mains.

– Oui, c'est l'autre chose.

– Reviens demain », dit-il.

Elle revint le lendemain après-midi à la même heure. Tim s'activait dans la cuisine de sa maison, il triait les bouteilles et les boîtes consignées qu'il plaçait dans des paniers en osier.

« J'ai parlé à une infirmière que je connais, dit-il. Me suis rencardé sur les cas désespérés, pour qui il reste plus que la prière. Donc elle donne des noms, Untel, Unetelle. Vieux, pour la plupart, comme moi. Jusqu'à ce qu'elle m'annonce qu'ils ont une jeune femme, Stella Rosmarin, à l'hôpital de Desmond City. Une histoire atroce, vraiment. Elle est tombée d'une échelle en plein sur la tête. Elle est dans une machine depuis deux mois.

– Elle n'ira pas mieux ?

– On dirait que non. Et si elle va mieux, tu le sauras.

– Vous pouvez m'y emmener ?

– Bien sûr », dit Tim.

Ils se rendirent à Desmond City dans la voiture de Tim, une vieille Nova beige, aux housses de siège tissées. La réceptionniste à l'hôpital dit que Stella Rosmarin était au cinquième niveau de l'aile sud et que seuls les membres de la famille pouvaient la voir.

Elle dit au revoir à Tim, monta aux soins intensifs et y trouva Stella dans un lit argenté, où on la maintenait en vie artificiellement.

Le transfert fut inéluctable à partir du moment où elle se fut approchée, comme la gravité, comme l'achèvement de la chute qu'elle aurait peut-être effectuée de la fenêtre de la maison en feu. Elle s'étendit tranquillement un moment, sentit le rythme robotique de la machine et la tristesse de deux morts.

Puis elle dégagea ses mains des barrières où elles étaient attachées avec de l'adhésif bleu clair. Elle retira le masque de l'appareil respiratoir et se mit sur son séant, inspira de l'air dans ses poumons. Un homme en tenue d'hôpital vert marin se campa devant elle et la regarda sans rien dire.

« Ça va, dit-elle. Je n'ai pas besoin de ces trucs. »

Ensuite d'autres médecins arrivèrent. Ils se passèrent une planchette à pince et observèrent successivement la planchette, les nombres rouges sur l'écran et elle.

« Où êtes-vous ? demanda l'un d'eux.

– Dans un hôpital.

– Comment êtes-vous arrivée ici ?

– Par les escaliers.

– Comment vous appelez-vous ?

– Stella. »

SEPT

La bicyclette de Stella était sur sa béquille près de la porte du Valet de Carreau. Stella était dans la cuisine avec Keith Lyon, qui se présentait en lui montrant comment il coupait les oignons. À l'aide d'un couteau à manche rouge fabriqué en Suède, il fit une série d'incisions jusqu'à ce que l'oignon soit hachuré comme un globe, mais toujours en un seul morceau, puis, d'un mouvement circulaire de la lame, il obtint un étalage de morceaux parfaitement découpés en dés sur la planche.

« Incroyable, dit Stella.

– Je vais en faire un autre, dit Keith. Regardez attentivement cette fois-ci.

– Mais je regardais attentivement.

– Hé, Keith », lança Pierre. Il se tenait dans l'encadrement de la porte. « L'agent de police est là. Telegram Sam.

– Pour quoi ? demanda Keith.

– Je ne sais pas. »

Pierre, Keith, Stella et Charlotte Blonde se réunirent dans le bar. L'agent de police se campa devant eux, chaussé de ses godillots montants noirs, les mains accrochées à sa ceinture de service.

« Recherchons un homme, dit-il. Timothy Geer d'Eden Center. Soixante-quatorze ans. Vu pour la dernière fois hier après-midi au cinéma d'Art Petit. Arrivé quarante minutes en avance pour la séance de début d'après-midi. A annoncé au guichet qu'il allait faire une promenade dans les bois avant le film. A pris la route dans cette direction. A vraisemblablement emprunté un des sentiers entre ici et là-bas. Jamais revenu, pour autant qu'on sache. Sa voiture encore au cinéma. Taille du sujet un mètre soixante dix-huit, poids quatre-vingt-deux kilos, porte un manteau en tissu écossais noir et vert. Quelqu'un l'a vu ? »

Ils secouèrent la tête. Le nom évoquait quelque chose uniquement à Stella, mais elle ne dit rien.

« Bien. D'après déclaration du cinéma, ça fait vingt-cinq heures que l'individu est dans les bois. Chiens en route pour recherches mais pas encore arrivés. Reste encore deux heures de jour. Besoin de volontaires. Par deux pour arpenter les sentiers. Très simple. Sortir, revenir. »

Le Valet de Carreau n'ouvrait pas avant cinq heures et demie, donc ils acceptèrent de fermer et d'y aller. Telegram Sam les conduisit dehors sur le parking, où il les répartit en deux équipes et remit à chacun une carte des sentiers et une radio qu'il sortit du coffre de son véhicule.

« Canaux présélectionnés, dit-il. Contact direct avec moi. Restez joignables. Appuyez pour parler, lâchez pour écouter. Pas besoin de toucher quoi que ce soit d'autre. Une carte, une radio, une équipe. Système de surveillance mutuelle. On perd pas de vue son binôme. On s'écarte pas du sentier. Un de perdu ; pas besoin d'en perdre d'autres. Faites du bruit. Appelez. Si vous entendez des aboiements ça signifie chiens arrivés. Rien à craindre.

– Qu'est-ce qu'il a comme chaussures ? demande Charlotte.

– Aucune idée. Peu importe. On cherche le bonhomme, on regarde pas le sol. »

Pierre et Charlotte Blonde formaient une équipe. Ils remontèrent le sentier vert pendant une demi-heure, arrivèrent à la tour de guet où Roland Miles faisait son colmatage avec du mortier. L'escalier froid et rouillé leur permit d'arriver à la lumière tout en haut. Ils y restèrent à scruter les collines et les couronnes déchiquetées des conifères.

« Cette radio est lourde, dit Charlotte. Je parie qu'il y en a pour mille dollars. Tiens. Appelle-le.

– Je devrais ?

– Ouais. C'est ce qu'il a dit.

– Comment s'appelle-t-il ?

– Sam.

– Ce n'est pas son vrai nom, Charlotte. Les gens l'appellent Telegram Sam, mais c'est une plaisanterie.

– T'as qu'à juste dire Monsieur l'agent.

– Bonne idée, ça c'est de l'assistance mutuelle. » Pierre enfonça le bouton. « Monsieur l'agent, ici Pierre Hunter sur le sentier vert.

– Vas-y, Pierre.

– Il y a pas mal de vent. On ne l'a pas vu. On est en haut de la tour.

– Copié, Pierre. Chiens arrivés.

– Quoi ?

– Chiens dans les bois.

– Affirmatif.

– Chiens pour recherches. »

Pierre mit la radio dans la poche de son manteau.

« Affirmatif ? fit Charlotte. Gros malin, va. »

Keith et Stella traversèrent la crête deux kilomètres au nord-est de la taverne, à l'endroit où le chemin commençait à descendre. Ils marchèrent en appelant Tim Geer. La forêt se fit sombre et il y eut un bruit en haut, dans les arbres.

« Tu entends ça ?

– C'est juste le vent.

– Ils ont les chiens.

– Vraiment, dit Keith. Le gars est probablement chez lui devant sa télé.

– Non. Il est ici quelque part.

– Tu le connais ?

– Un peu. Il m'a aidée quand je suis arrivée dans le coin. La dernière fois que je l'ai vu il m'a dit qu'il allait se perdre.

– C'est bizarre de dire ça.

– Je n'ai pas compris ce qu'il voulait dire. Mais maintenant je crois que je comprends.

– Qui irait faire exprès de se perdre ?

– Peut-être qu'il pensait que ça conduirait à autre chose.

– Comme quoi ? »

Ils arrivèrent à un grand arbre tombé en travers du sentier et, pour le franchir, s'assirent sur l'écorce et hissèrent les jambes qu'ils firent passer de l'autre côté du tronc. Il commençait à faire noir, mais au fond des bois les rochers blancs retenaient la lumière.

« Ça, je ne pourrais pas te dire », dit Stella.

Quand Charlotte Blonde était tendue elle parlait de sa petite ; ce qu'elle avait appris à faire ou à dire, ce qu'elle arrivait à renverser, des choses comme ça.

Ils étaient bien plus loin que la tour à présent, dans un ravin, et le sol humide s'enfonçait sous leurs pieds, et les pentes boisées s'élevaient sur leur droite et sur leur gauche.

« Son dernier truc c'est qu'elle veut savoir comment marchent toutes les choses, dit Charlotte. L'autre jour par exemple, elle sort une valise du placard et dit : "Comment marche, maman ? Comment marche ?"

– Wow, c'est mignon comme tout, dit Pierre.

– Ouais. Tu sais, alors j'ouvre la valise, je mets des vêtements dedans, n'importe quoi, puis je dis : "C'est pour quand tu t'en vas."

– Donc elle a compris.

– Eh bien, non. Pas du tout. Elle a cru que j'allais l'envoyer je ne sais où. Alors j'ai dit : "Oh non, mon trésor. Pas toi sans moi. Mais si *nous deux* on s'en allait. En voyage."

– Elle a l'air un peu à cran.

– Eh bien, oui. Où est-ce qu'on est ?

– Je ne sais pas, dit Pierre. Il devrait y avoir de la peinture sur les arbres.

– Je vois pas de peinture », dit Charlotte.

Le sentier avait disparu. Ils regardèrent la carte, et comme ils ne savaient pas où ils étaient, cela ne les aida pas beaucoup. Mais apparemment s'ils montaient la pente jusqu'en haut du ravin, ils retrouveraient peut-être le sentier, et même s'ils ne le trouvaient pas, ils reviendraient au grand jour, ce qui paraissait conseillé. Donc ils grimpèrent le versant nord, courbés en avant, le corps parallèle au sol en s'aidant des troncs d'arbres.

Au bout d'une vingtaine de minutes Pierre et Charlotte arrivèrent en haut et débouchèrent dans un champ en altitude avec des herbes hautes et des rangées d'arbres pris dans un entrelacs de plantes grimpantes et de stolons. Le soleil descendait derrière les collines qui se trouvaient au loin, à des kilomètres de là.

« C'est un verger, dit Pierre.

– Je vois ça. »

Ils marchèrent perpendiculairement aux rangées d'arbres, regardant d'un côté et de l'autre, et ne virent que des oiseaux s'élançant dans les airs. C'était calme et étrange dans le verger, mais ils étaient soulagés d'être dans un endroit où des gens avaient naguère travaillé. Au bout d'un petit moment ils arrivèrent derrière une remise argentée de quatre mètres sur cinq environ, et en faisant le tour jusqu'à l'entrée, ils trouvèrent une route abandonnée de l'autre côté.

Il y avait un plancher à découvert devant la cabane et Pierre s'avança sur le bois mou des planches, ouvrit une porte à panneaux et regarda à l'intérieur.

« C'est là qu'ils devaient vendre les pommes, dit-il.

– Fichons le camp d'ici, dit Charlotte. On nous a demandé de regarder ; on a regardé. On a fait notre devoir vis-à-vis de la société. »

Pierre entra dans la cabane. Elle était vide à l'exception d'une table en bois avec un tiroir et quelques râteaux de jardin en bambou dans un coin. Des poutres horizontales reliaient les deux pans d'un toit en pointe. Pierre ouvrit le tiroir, qui était divisé en casiers par des lattes entrecroisées.

« Allez, Pierre, dit Charlotte, de l'embrasure de la porte. J'ai pas envie d'être ici, et encore moins de traîner dans cette espèce de bâtiment paumé. »

C'est alors qu'une voix appela Pierre par son nom, et il sursauta dans l'obscurité de la remise, mais ce n'était que la radio dans la poche de son manteau.

« Homme retrouvé, annonça Telegram Sam. Tout va bien. Rentrez. Sujet en bonne forme. »

Charlotte prit la radio dans la poche de Pierre, appuya sur le bouton et demanda : « Qui l'a retrouvé ?

– Les chiens. »

Ils empruntèrent la route abandonnée, un tunnel vert à travers les arbres, en se disant qu'ils allaient retomber sur la nationale. Des herbes hautes et de jeunes érables poussaient au milieu de la route. Au bout de quatre cents mètres Pierre percuta une chaîne cachée dans les herbes et trébucha par-dessus. Il se releva, souleva la chaîne et constata qu'elle était tendue en travers de la route, arrimée de part et d'autre à des arbres.

« Ils devraient trouver un moyen de prévenir quand il y a des trucs comme ça », dit Charlotte.

Leur longue marche avaient amené Pierre et Charlotte Blonde sur les hauteurs, si bien qu'ils avaient contourné le Valet de Carreau et quand ils arrivèrent sur la nationale ce fut dans un virage au sud de la taverne et ils surent où ils étaient et revinrent sur leurs pas jusqu'au parking.

Il y avait là une meute de beagles tricolores qui tiraient sur leurs laisses et aboyaient après le vieil homme, Tim Geer, qui était assis et mangeait un sandwich au fromage grillé à l'arrière d'un des trois véhicules de police à présent garés sur le parking. Les chiens ne semblaient pas réaliser que leur mission était accomplie, ou peut-être voulaient-ils juste le sandwich.

Pierre traversa le parking, s'arrêta et posa la main sur l'épaule de Charlotte.

« Je connais ce gars, dit Pierre. Il était dans le parc de Desmond City le soir du premier de l'an.

– Parle-lui, dit Charlotte. Après ce qu'il vient de lui arriver, ça lui déplaira sans doute pas de voir quelqu'un qu'il connaît. »

Pierre s'approcha du véhicule de police. Le vieil homme était assis de côté sur le siège, les pieds au sol et une assiette du Valet de Carreau sur les genoux.

« Vous vous souvenez de moi ? » demanda Pierre.

Tim Geer releva la tête, le regarda de ses yeux calmes et enfoncés. « Ah, oui.

– J'ai eu des problèmes ce soir-là.

– Tu m'as dit que tu savais ce que tu faisais.

– Possible que j'aie exagéré. Bon, alors, où est-ce que vous étiez ?

– Un peu partout. À partir du moment où j'ai quitté le sentier, j'ai pour ainsi dire perdu la notion du temps. Passé la nuit dans une petite maison.

– Dans un verger.

– C'est là, oui.

– Vous auriez dû descendre la route qui passe devant. Elle finit par sortir de la forêt.

– Sauf que dans ce cas tu l'aurais pas trouvée, hein ?

– La route ou la maison ?

– L'une ou l'autre.

– Qu'est-ce que ça change ?

– Pense à ce que tu pourrais faire d'un endroit comme ça.

– Commencer un verger, j'imagine.

– Je te le dis le plus clairement possible. Et je sais que c'est pas si clair. Mais il faut que tu y réfléchisses. À ce que tu pourrais y faire. »

« Hunter. »

Pierre se retourna. Telegram Sam lui faisait signe de s'éloigner de la voiture de police.

« Monsieur Geer est épuisé, dit-il. Viens avec moi. »

***

Ils firent le tour du Valet de Carreau et s'assirent sur les bobines de câbles, à l'arrière.

L'agent de police alluma une Chesterfield et ouvrit un carnet. « Fichtre, c'est formidable quand les choses se passent bien, dit-il. Pas vrai ? Je veux dire, il y a des trucs qu'on fait en guise d'*entraînement* qui se passent pas aussi bien.

– Ouais », fit Pierre. C'était la première fois qu'il entendait Telegram Sam faire des phrases.

« Je me dis que peut-être tu peux m'aider, Pierre. Je suis en train de penser à l'incident avec le couteau qui a eu lieu à Arcadia et je me dis que tu es peut-être au courant de quelque chose.

– Rien de plus que ce que j'ai entendu dire, répondit Pierre.

– Très bien, je vais te dire ce que j'ai appris et on pourra discuter tous les deux en toute franchise, j'espère. Le 18 août tu étais dans un pick-up qui a quitté l'autoroute à l'intersection de la Route 233. Tu faisais du stop, ce qui est interdit sur l'autoroute, mais présentement je m'en fiche. Le conducteur du véhicule t'a volé ta valise, mais il a perdu connaissance, et donc tu as récupéré ta valise, et tu as poursuivi ta route. Est-ce que je me trompe jusque-là ?

– Avec qui avez-vous discuté ?

– Peu importe. J'ai raison ou pas ?

– Vous avez raison, dit Pierre. Un sac à dos, mais ouais.

– Bon, le pick-up était au nom d'un certain Shane Hall, venu du Nord, et, pour ce qu'on en sait, Hall était effectivement le conducteur. Plus tard ce soir-là, ce que tu ignores peut-être, Hall, ou l'homme que nous croyons être Hall, a volé une voiture conduite par une femme qui s'était arrêtée pour décider si le pick-up dans le fossé avait besoin d'une remorqueuse. Là-dessus la voiture volée réapparaît dans l'agglomération des Quad Cities, dans un accident, et il semblerait qu'entre-temps elle soit passée entre plusieurs mains, et nous sommes en train de travailler là-dessus. Enfin, pas moi, mais quelqu'un est sur le coup. En tout cas, la chose importante à propos de la voiture, c'est que ce Hall est peut-être quelque part dans les environs, se faisant appeler Bob Johnson ou Bob Roberts.

Et par conséquent pourrait être le type au couteau de chasse qui s'en est pris à Pete Marker, pensant peut-être que c'était toi. »

Pierre étira les jambes sous la table de pique-nique. « Ma foi, ouais, *peut-être*, dit-il. Je ne connais pas la part de ce qui est vrai là-dedans.

– Moi non plus. Et normalement on se dirait, deux types qui se bagarrent pour un sac à dos, tu sais, qui s'en soucie ? Sauf que Hall, on a plusieurs bricoles à voir avec lui, si on arrive à lui mettre la main dessus. Les flics du Minnesota disent qu'il a ligoté un homme à un radiateur et l'a envoyé à l'hôpital deux jours avant que tu le rencontres. D'où, par conséquent, la question que je te pose. Qu'est-ce qu'il y avait dans ce sac à dos ?

– Rien. Des vêtements. Il ne savait pas ce qu'il contenait. C'était juste quelque chose qu'il pouvait voler.

– Est-ce que tu lui as pris autre chose à ce gars ?

– Est-ce que j'ai pris quelque chose ?

– Parce que, à ce que je vois, quand on essaye de reconstituer le puzzle, il y a un truc qui cloche. Qu'il te pourchasse, d'accord. Mais.

– Je n'ai jamais dit qu'il me pourchassait.

– Bon, il y en a qui pensent que c'est une possibilité. Mais pourquoi ? C'est la partie qui m'échappe.

– Je l'ai mis K.O.

– Et comment tu t'y es pris ?

– Lancé une pierre.

– Sur un pick-up qui roulait. Pas mal.

– Qui vous a dit qu'il roulait ?

– Il roulait ?

– Il était arrêté.

– Bon, Pierre. Des gens décident de faire un truc, que ce soit logique ou pas, rien les arrêtera. Ça arrive. Mais si tu en sais plus que ce que tu m'as dit, c'est maintenant l'occasion pour toi de me le dire.

– J'ai repris mon sac à dos et ce qu'il y avait dedans », dit Pierre.

Pierre quitta le travail tôt ce soir-là et alla au Port aux Bateaux à Desmond City.

C'était un bar en centre-ville avec une thématique maritime. Une proue et une cabine de navire faisaient saillie en diagonale à partir d'un coin du bâtiment, et on pouvait s'asseoir à l'intérieur du vaisseau, sur une plate-forme surélevée, et regarder par les hublots. Mais Pierre s'assit au bar central ouvert des quatre côtés, au coude à coude avec un gamin nommé Kevin Petit qui avait été deux classes derrière lui au lycée.

« Hé, fit Pierre, et il l'appela Petit Kevin.

– C'est bon, je déteste ça, dit-il.

– C'était ton surnom.

– Je l'ai toujours détesté.

– Tu aurais dû dire quelque chose.

– Vous étiez dans les grandes classes.

– Plus grands que nature, suggéra Pierre.

– C'est l'impression que j'avais.

– Vraiment.

– Un peu, quand même, ouais.

– Miles était peut-être plus grand que nature, mais maintenant il est juste d'une taille normale. Moi j'étais plus le loser.

– Tu es un loser.

– Probablement, oui. Mais une femme splendide m'aime. Donc il y a ça.

– Pourquoi tu travailles pas ?

– On a trouvé un gars dans les bois aujourd'hui.

– Mort ?

– Non. Il s'était perdu. Ils ont fait venir les chiens. Il y avait passé la nuit.

– C'est du bol.

– Ça n'aurait pas pu se passer autrement.

– Qu'est-ce que tu veux dire ?

– Prends une pièce. Non, laisse tomber. Prends deux pièces. Pose-les sur le bar. Une face, une pile. Sur le bar. »

Kevin Petit se pencha de côté sur le tabouret de bar, chercha dans sa poche, et posa deux pièces de vingt-cinq *cents* entre son verre et celui de Pierre.

« Bien, fit Pierre. Maintenant, pense à quelque chose dont tu te demandes si ça va se produire ou pas. D'accord ? Tu y penses ?

– Ouais. Ma demande d'indemnisation pour invalidité.

– C'est quoi, ton invalidité ?

– Une presse en métal m'est tombée sur le bras, au boulot.

– Tu n'as pas l'air invalide.

– Non, je le suis. Fais-moi confiance. Pour certaines choses que je suis obligé de faire, je suis relativement invalide.

– Dis donc, c'est raide. Et à part ça, quoi de neuf ?

– Tu étais en train de faire un truc avec ces pièces.

– Ah, oui. Tu veux savoir pour ton invalidité. Disons que face c'est oui et pile c'est non. Maintenant pose-toi la question de savoir si les deux peuvent avoir raison ?

– Qu'est-ce que tu veux dire ?

– Les deux pièces ? Autrement dit, est-il possible que tu touches et que tu ne touches pas l'indemnisation pour ton bras ?

– Eh ben non, bien sûr que non.

– Donc ce que tu me dis, c'est que l'une de ces pièces dit vrai et que l'autre est une grosse menteuse. Bien que la réponse soit dans l'avenir. Et comment cela est-il possible ? Parce que l'avenir a déjà eu lieu.

– Non, il a pas déjà eu lieu.

– Les pièces affirment le contraire. »

Kevin ramassa une des pièces et la regarda. « Non, je te suis pas, là, dit-il.

– Je viens juste d'y penser.

– Ça te dit rien du tout si tu y réfléchis très longtemps.

– Si tous les événements à partir du commencement du monde jusqu'à la fin étaient alignés depuis le début, je ne dirais pas que c'est rien. Et nous nous contentons de voyager de l'un à l'autre. Réfléchis-y.

– Je réfléchis.

– Peut-être que l'avenir est comme un endroit où tu n'es jamais allé. Comme Sidney, en Australie. Y es-tu déjà allé ?

– Jamais.

– Exactement, dit Pierre. Moi non plus. Mais on n'ira pas dire que ça n'existe pas juste parce qu'on n'y est jamais allé. On ne dirait pas que c'est peut-être une grande ville ou peut-être une décharge sur le bord de la route, et que ça ne sera ni l'un ni l'autre tant qu'on n'y sera pas allé.

– C'est vrai. Mais si les choses ont eu lieu et que personne sait ce qu'elles sont, qu'est-ce que ça change ? Ça revient au même, c'est comme si elles s'étaient pas produites.

– Je n'ai pas dit que personne ne savait. Peut-être que toi et moi on ne sait pas. Mais si on savait comment voir... si on se rappelait comment... peut-être qu'on pourrait.

– Diseuses de bonne aventure.

– Oui, mais des vraies.

– Tu crois à ça ?

– Je commence à me le demander. »

Kevin Petit s'en alla, puis revint au bout d'une heure. Pierre était resté à boire du gin et était maintenant bien ivre. À chaque fois que les choses changeaient, il accueillait l'ébriété à bras ouverts.

« Où étais-tu, Kev ? demanda-t-il.

– Je suis allé chercher ça », répondit Kevin Petit. Il montra à Pierre ses chaussures en cuir orangé et aux boucles de cuivre. « Un gars que je connais les a achetées mais elles étaient trop petites.

– Intéressant.

– Je sais.

– J'étais en train de réfléchir, dit Pierre. Oublie ce que j'ai dit tout à l'heure.

– À propos de quoi ?

– Les pièces. Tout ça. Je travaillais du chapeau.

– Dommage que j'aie déjà tout consigné par écrit tant que c'était encore frais dans mon esprit. »

Pierre rit. « Elle est bonne, celle-là, Kevin. »

Une demi-heure plus tard, Pierre leva la tête pour se rendre compte qu'il était minuit et que le bar était vide à l'exception de trois gars qui jouaient une partie de billard à trois. Il prit son verre, s'approcha de la partie navire du bar et s'assit sur un banc à la grande table, à regarder les voitures qui passaient dans la rue. Il aurait voulu que ses amis arrivent avec des cartons de nourriture noués avec des rubans, ils auraient fait la fête.

Charlotte, Keith, Stella, Roland Miles, Carrie, et même sa mère et son père, vu que ce n'était que son imagination. Monster avait l'art de flairer la nourriture tombée par terre. Pierre voyait le vin et les bougies, il entendait les rires autour de la table. Il parlerait au creux de l'oreille de Stella. Ses parents seraient fiers de les voir ensemble.

« Tu pourrais faire un truc dans ce genre », dit-il.

Le barman s'approcha et ramassa le verre vide de Pierre. « Hé, Hunter, je déteste faire ça, mais à partir de maintenant j'arrête de te servir.

– Non, c'est normal, dit Pierre. Mon Dieu, je comprends. Je suis bien placé pour le savoir.

– Oh, et j'ai oublié de te dire. Tu vas récupérer ton harmonica. »

Pierre se demanda si harmonica était le nouveau terme pour dire pouvoir magique ou karma. « De quoi parles-tu ? demanda-t-il.

– Une bonne femme l'a retrouvé dans sa voiture.

– Je n'ai pas d'harmonica. »

Il se leva et se dirigea vers la porte. Il dut se concentrer sur tous les aspects de la marche, c'est réellement assez compliqué quand on est obligé d'y penser, et il avait traversé la moitié du bar quand il s'arrêta et posa la main à plat sur le billard pour garder l'équilibre.

Mais ce faisant, il déplaça les boules, les trois joueurs de billard protestèrent alors et une dispute assez incohérente s'ensuivit. Ils avaient fait des paris et voulaient donc que Pierre leur verse dix dollars à titre de dédommagement, mais comme ils étaient trois, Pierre ne comprenait pas comment ils arrivaient à dix. Ils finirent par lui dire de partir, il leur répondit que c'est ce qu'il allait faire, que c'était d'ailleurs son intention initiale.

Pierre sortit, regagna la MGA et rabattit la capote. Il se sentait en mesure de conduire. Les lumières et les maisons de Desmond City se dissipèrent, la route décrivit une longue courbe et s'enfonça dans l'obscurité entre terre et ciel. L'air était froid, pourtant son visage était chaud et en sueur. À mi-chemin de chez lui, il se gara sur le bas-côté, marcha sur le bord de la route et vomit dans le fossé. Puis il se redressa et contempla le bitume, se sentant vide de tout gin et de toute confusion.

Le lendemain matin Pierre se leva tôt en constatant, bonne nouvelle quoique imméritée, qu'il n'avait pas la moindre trace de gueule de bois. Et il se dit que c'était vrai ce qu'on disait sur les alcools blancs.

Il se prépara du café sucré, des pommes de terre sautées, versa du lait dans le café, du ketchup sur les pommes de terre, s'assit dans la cuisine pour manger en lisant le *Register* et en écoutant un CD de Old 97s.

Lorsqu'il fit la vaisselle il chanta en chœur la chanson qui parlait de naissance sur la banquette arrière d'une Mustang par une nuit froide sous une pluie battante. Il sortit ensuite du placard à balais son fusil de chasse et le casier en aluminium fin où se trouvait le kit de nettoyage, et posa le tout sur la table.

À midi, il alla au bout de l'allée du garage, s'installa dans la MGA et circula dans les rues de Shale. Les gens se préparaient pour le week-end des Journées du Braquage de Banque, des bannières étaient tendues à travers la rue. C'était un événement annuel célébrant l'unique bribe de renommée historique de Shale, un hold-up qui avait échoué en 1933, ayant inspiré des chansons et aussi un livre.

Les cambrioleurs étaient trois frères qui avaient cherché à copier les braquages de Dillinger, mais sans aucune réussite. L'un d'eux laissa dans la banque un manteau avec son nom écrit à l'intérieur du col. Un autre provoqua la crevaison d'un pneu de la voiture avec laquelle ils devaient s'échapper en lançant sur la chaussée des clous censés ralentir leurs poursuivants. Finalement, en fin de journée, les frères trouvèrent refuge dans une ferme où habitait une famille.

Le moment fort du week-end était une pièce de théâtre jouée dans un hangar sur le site originel de la ferme. Intitulée *Jouets du destin*, elle racontait l'entrée par effraction des frères du hold-up, et au terme d'une soirée longue et tendue, leur prise de conscience que la situation n'était pas des mieux engagées.

Pierre avait vu la pièce maintes fois. Elle était drôle même quand elle n'essayait pas de l'être. La grande scène était une partie d'échecs que disputaient le plus jeune des cambrioleurs et le père de famille, dont la peur des intrus s'était à ce moment-là transformée en exaspération teintée de mépris.

Pierre termina au terrain de golf. Carrie Miles était dans son bureau, à écrire des noms sur un tableau noir. La photo de Roland lors de la cérémonie de remise du diplôme était accrochée au mur. Il avait l'air méfiant sur cette image, il semblait écouter une offre compliquée susceptible d'être une arnaque.

« Hé, toi, fit Carrie.

– Allons faire un tour.

– Où ?

– Nulle part en particulier.

– Laisse-moi terminer ça, ensuite je viens, dit-elle. C'est notre dernier grand week-end. Tu peux lire mon poème en attendant. Le plus long que j'aie jamais fait. »

Elle lui annonça qu'elle avait présenté le poème au concours de poésie des Journées du Braquage de Banque. Il s'intitulait « Désir de larcin », et commençait ainsi :

Les frères infortunés fondirent sur la ville
Sur la banque pour se faire des cents et des mille
Mais le rêve le plus fou que chacun peut avoir,
Comparé à leur plan, est un modèle de savoir.
Empotés du début à la fin, ils ont foncé
Tête baissée vers les coffres pour le braquage,
Mais ce faisant n'ont pas vu le gardien à l'étage,
Qui, descendant l'escalier, malgré l'ambiance anxiogène,
Parvint à lancer une bombe lacrymogène…

Le poème de Carrie continuait sur des lignes et des lignes, trois pages en tout. Il décrivait le hold-up, la fuite et se terminait par une sorte de pirouette, remettant en question l'obsession municipale pour les braquages de banque.

Car je m'interroge sur le fait
De célébrer cette gloire criminelle désuète.
D'un autre côté c'est seulement peut-être
Que nous gardons en nous un désir de larcin
Qui demeure depuis la préhistoire en notre sein,
À l'époque où ce que tu perdais était bon pour moi.

La craie de Carrie faisait un doux son insistant au tableau tandis que Pierre terminait le poème.

« C'est épique, Carrie, dit-il. Je le pense vraiment. Je n'ai jamais rien vu de tel.

– Ouais, merci. J'ai bien potassé le sujet, dit-elle. Évidemment je sais que mon poème ne gagnera jamais. Il remet en cause trop de préjugés.

– Ce serait mérité. Mais je crois que la façon dont fonctionne ce prix, c'est que ce sont des vieilles dames qui le décernent à d'autres vieilles dames. »

Ils roulèrent dans la MGA, que Carrie n'avait pas vue depuis que Pierre l'avait récupérée. Ils passèrent devant l'ancienne maison des Hunter, allèrent jusqu'à la centrale et se garèrent près de la barrière, comme ils l'avaient fait sept ans auparavant.

« Ça paraît tellement bizarre, dit Carrie. Pourquoi étions-nous là ? C'était le jour du Séchage collectif des cours ? Je me souviens d'être venue ici, mais pourquoi ?

– Rebecca Lee t'avait envoyée pour m'annoncer qu'elle me larguait. »

Elle pivota sur son siège en lui adressant un sourire nerveux. « Oh mon Dieu, c'est vrai. Qu'est-ce que j'ai été méchante avec toi. Je m'en souviens maintenant.

– Ce n'était pas de la méchanceté, dit Pierre. Je m'en fichais même un peu. J'ai trouvé que c'était assez chouette de ta part d'accepter de faire un tour en voiture.

– On était toutes méchantes. C'était notre nature. On ne savait pas ce qu'on faisait.

– J'ai vu Kevin Petit hier soir. En fait il détestait qu'on l'appelle Petit Kevin.

– Toi tu n'aurais pas détesté ?

– Si.

– Cette voiture est comme une machine à remonter le temps. Tu peux oublier tout ce qui s'est passé.

– Comment va Roland ?

– Il va faire une excursion en canoë aux Eaux frontalières. On ne peut plus se servir de la table à manger parce qu'elle est recouverte de *pemmican* et de nylon *ripstop*.

– Il va louper le spectacle.

– Oh, tu le connais ; de toute manière il déteste. Il dit que c'est bidon et qu'il y a trop de monde. Il est si lunatique. Un de ces jours il fichera le camp et ne reviendra pas.

– C'est peut-être ce que tu veux, tu le dis si souvent.

– Eh bien, oui, parfois. Mais je pense que je serais bien seule si ça arrivait. C'est juste que je croyais que la vie serait amusante. C'est vraiment l'impression que j'avais.

– Mais elle est amusante, dit Pierre. Tu ne trouves pas ? Je veux dire, ce n'est pas comme Le Pays de l'Aventure. Mais tu écris tes poèmes, les feuilles bougent, tu t'envoies en l'air de temps en temps. Tu ne trouves pas ça amusant ?

– Les feuilles bougent ?

– Tu vois ce que je veux dire.

– Oh, joie, les feuilles bougent.

– Je te jure que j'y crois.

– Je sais que tu y crois. »

Pierre entendit alors un son étouffé, Carrie sortit un portable argenté de son sac à main, regarda le numéro à l'écran et coupa le téléphone.

« Fais-voir ça », fit Pierre.

Elle lui tendit l'appareil.

« Très moderne », dit-il.

Un train de cinq péniches vert-jaune était en train de passer l'écluse sur la rivière, un processus mesuré mais cependant impressionnant, comme toute chose massive se déplaçant lentement.

Les péniches étaient longues, recouvertes et immaculées, et un homme se tenait debout sur l'une d'entre elles, le pied sur la vanne d'écluse, le bras posé sur son genou.

Pierre et Stella, assis sur un banc du quai d'observation, regardaient l'approche progressive du marinier.

« Qu'est-ce que vous transportez, là ? demanda Pierre.

– Du gypse, répondit-il.

– Difficile à croire qu'il y ait une telle demande en gypse dans le monde entier, confia Pierre à Stella.

– J'ignore à combien s'élève la demande en gypse, dit-elle.

– Je crois qu'ils en utilisent dans le ciment.

– Pierre.

– Quoi ?

– Je veux que tu t'en ailles un moment.

– Ouais ? »

Elle se laissa glisser, jambes tendues devant elle, la tête appuyée sur le dossier du banc. « Retourne en Californie. Va n'importe où. Une semaine. Ensuite ce sera fait.

– Qu'est-ce qui sera fait ?

– Comment avais-tu formulé ça ? *Il est temps à présent.* Ils viennent récupérer le fric.

– Ils.

– Ceux à qui tu l'as pris et deux autres.

– Comment le sais-tu ?

– Je le sais, c'est tout. Depuis cet hiver. »

Pierre avisa l'homme debout sur la péniche verte. Il était à six ou sept mètres plus en aval par rapport à tout à l'heure, et au-delà des péniches, la rivière d'un vert ferreux tourbillonnait en cercles profonds et biseautés.

« L'hiver, dit Pierre. Stella, je n'avais même pas rencontré le gars, cet hiver.

– Je savais que tu passerais à travers la glace, dit-elle. Je savais que tu trouverais celui avec l'argent et que tu l'amènerais jusqu'ici.

– Ça j'arrive plus ou moins à saisir. Tu m'as dit prends des armes. Tu m'as dit tiens-toi prêt. Et je me suis préparé.

– Je ne crois pas, Pierre. Je savais que tu ne serais jamais prêt. Ce type est plus coriace que tu ne le penses.

– Tu le suis depuis un bail, j'imagine.

– Ouais.

– Qu'est-ce qu'il a fait ?

– Il a mis le feu à une maison dans le Wisconsin. A tué la femme qui gardait la maison. Et s'en est tiré.

– Qu'est-il censé lui arriver ?

– Il meurt. Mais ce n'est pas nécessairement à toi de t'en charger. Je pense qu'il va s'attirer la mort d'une autre façon.

– Qui était la femme qui gardait la maison ?

– Est-ce que cela a de l'importance ?

– Ça doit en avoir.

– Tu ne vas pas le croire.

– Diable, j'ai l'impression que je sais déjà. »

Pierre se leva et marcha jusqu'au bord du quai et se tint le dos appuyé contre le garde-fou.

« C'est toi qui gardais la maison », dit-il.

Elle prit une pochette d'allumettes, en arracha une et la jeta sur le béton. « Pas telle que je suis maintenant, dit-elle. Je suis venue ici après l'incendie. Tu n'aurais pas pu me voir à ce moment-là. Je n'étais que l'esprit de la vie que j'avais vécue. Tu vois ce que je veux dire ?

– Tu n'étais pas Stella.

– Non, je suis devenue Stella. Elle n'existait plus, Pierre. Elle était juste branchée à une machine à l'hôpital.

– Tu sais, j'ai rêvé de toi et d'une chambre avec du feu à l'intérieur.

– Tu as un peu de ça en toi.

– Dans quel camp est Tim Geer ?

– Le mien. Et le tien aussi, en un sens. Il déclenche les choses. De manière qu'elles aillent dans un sens plutôt que dans l'autre.

– Comment ça ?

– Je ne sais pas. Je ne suis même pas certaine que lui le sache. Je suis navrée, Pierre.

– Ne le sois pas, dit-il. Tu m'as sauvé la vie. Je ne l'ai pas oublié. Et je ne te laisserai pas tomber, si je trouve un moyen. »

HUIT

Les hommes agitaient les cônes rouges des lampes de poche tandis que les voitures cahotaient dans le pré de la ferme, leurs phares montant et descendant.

La pièce de théâtre sur l'occupation de la ferme par les braqueurs de banque en 1933 allait bientôt commencer. Le hangar était fin prêt avec ses éclairages, ses gradins et une version théâtralisée de l'intérieur de la vieille bâtisse.

Pierre se gara et traversa le champ à pied. Des nuages glissaient dans le ciel, ourlés d'argent par la lune cachée. Le hangar était un vaste édifice en tôle ondulée, au toit plat et aux pans latéraux inclinés. Les portes coulissantes demeuraient ouvertes, dévoilant les éclairages et les gens à l'intérieur.

Il ressentit l'écho résiduel de l'excitation qu'il éprouvait adolescent quand il allait en soirée. Il s'attendait toujours à trouver quelque chose de brillant et de formidable. Au lieu de cela, il se saoulait, faisait le fou, perdait connaissance, se brûlait la main avec des cigarettes. Il avait beau être jeune, il avait gâché beaucoup de temps.

Les gens étaient rassemblés autour d'une table de bar dressée près de l'entrée du hangar. Pierre jeta un coup d'œil à la ronde pour voir qui était là. Le prof d'histoire Minburn était venu avec ses élèves. L'élue Denise Blasco distribuait des petits drapeaux américains. Carrie Miles était seule dans son coin dans une robe lavande et un pull blanc.

« Qu'est-ce que tu es belle, dit Pierre.

— Ma foi, on essaye, et c'est tout ce qu'on peut faire, dit-elle. Où est la petite demoiselle ? Stella alias l'étoile ?

— Je ne sais pas.

– Ah. Mon poème non plus n'a pas gagné, si ça peut te consoler.

– Trop honnête, probablement.

– Peut-être. On ne m'en a pas dit un mot.

– Tu veux boire un verre ?

– Oui, je crois. »

Pierre leur prit du cidre brut dans des gobelets en carton, et tandis que les lumières s'éteignaient ils longèrent les gradins par le côté et trouvèrent un endroit où s'asseoir sur des bottes de foin, contre le mur. Sachant bien comment la pièce commençait, ils regardèrent non pas vers la scène mais en direction des portes ouvertes, dans la pénombre derrière eux.

Peu après, une voiture s'approcha et vint se garer sur le gravier à l'extérieur. C'était une berline d'époque aux ailes arrondies, qui avançait très lentement, car, selon la légende, elle était censée avoir un pneu crevé.

Les trois comédiens jouant les braqueurs sortirent de la voiture et pénétrèrent dans le hangar, tenant des fusils sous leurs bras.

Les portes se refermèrent derrière eux, pour créer une ambiance sinistre et aussi pour conserver la chaleur. Les gradins étaient répartis en deux tribunes, ce qui faisait trois travées, et chaque comédien emprunta une travée différente pour accéder à la scène.

Entre-temps, l'homme et la femme qui interprétaient le couple de la ferme montèrent sur scène et s'installèrent à leur place dans la cuisine.

Les frères se retrouvèrent au centre de la scène et l'un d'eux fit comme s'il frappait à une porte, même s'il n'y en avait pas. Le bruiteur envoya un toc-toc-toc retentissant, dont l'imparfaite synchronisation avec le geste fut considérée comme participant de l'effet comique.

La femme leva la tête du journal qu'elle lisait à la table de la cuisine.

« Je me demande qui ça peut bien être, fit-elle.

– À cette heure de la nuit, dit l'homme.

– Dépêche-toi donc d'aller ouvrir. Ils vont réveiller les enfants, à cogner comme ça.

– Je vais ouvrir. »

« Hé, bonne idée », dit Pierre.

La femme replia le journal et ramena ses cheveux en arrière.

« À vrai dire, ça me dérangerait pas d'avoir des visiteurs. C'est horriblement calme par ici.

– On a nos parties de cartes.

– J'aimerais qu'il y ait plus de parties de cartes.

– Pas facile, la vie à la ferme, je le sais, dit l'homme.

– On se lève, il fait noir, on se couche, il fait noir, et bien souvent on n'a pas le sou. »

« J'ai toujours pensé qu'il devrait y avoir une chanson à ce moment-là, souffla Carrie.

– Je sais », dit Pierre.

À nouveau retentirent les coups frappés par les frères.

« Il y a toujours quelqu'un à la porte, dit la femme.

– L'autre nuit je t'ai vue promener Romeo quand il avait la colique, dit l'homme. Des tours et des tours dans la cour, toi et ce vieux cheval. J'ai été ému par ton dévouement. »

Mais l'homme finit par se lever de sa chaise dans le coin et alla au bord de la scène.

« Crénom, salut, les garçons, lança-t-il.

– On a crevé un pneu », dit le comédien qui jouait le rôle du jeune frère, dont on disait qu'il était la tête pensante de l'équipe. « On se d'mandait si on pourrait le réparer ici. Ça prendra pas plus de quatre, cinq heures.

– Je sais pas quel genre de pneus vous avez, mais habituellement ça prend pas si longtemps, dit l'homme. Et il y a pas non plus besoin d'un fusil pour ça. »

Les Journées du Braquage de Banque attiraient en ville la clientèle du lac, si bien que l'équipe du Valet de Carreau était réduite ce soir-là.

Keith Lyon récurait la cuisine avec un polissoir électrique et Charlotte Blonde, debout derrière le bar, jouait au Nim avec le vendeur d'aspirateurs, Larry Rudd.

« Je t'ai encore eue, dit Rudd. Tu vois rien venir, hein ? »

Charlotte étudiait la serviette de table, un crayon de papier à la main. « Non », répondit-elle.

À ce moment-là, trois hommes entrèrent et se tinrent au coin du bar.

« La cuisine est fermée aujourd'hui, dit Charlotte. Mais vous pouvez vous asseoir où vous voulez et passer commande au bar, et si vous avez faim, vous pouvez choisir dans la carte des hors-d'œuvres.

– Hé, ça paraît plutôt bonnard, mais on est pas là pour ça », dit l'un des hommes. Il avait d'épaisses épaules, un visage rond, et portait une veste de pêcheur avec des poches, des sangles et un écusson « Saumon de Terre-Neuve-et-Labrador ». « Est-ce que Pierre est dans le coin ?

– Non, répondit Charlotte. Il travaille pas ce soir.

– Oh zut, dit-il. Je suis son cousin Bobby. Il vous a peut-être parlé de moi.

– Pas que je me souvienne.

– Vous savez où je pourrais le trouver ? Je suis de passage juste ce soir, et je m'en voudrais de pas lui dire un petit bonjour.

– Vous devriez aller jeter un coup d'œil à la pièce de théâtre, dit Rudd.

– Non, fit Charlotte.

– Quelle pièce de théâtre ? »

Charlotte piqua la main de Rudd avec la pointe de son crayon. « J'ai bien peur que Pierre soit parti pour le week-end », dit-elle.

Larry Rudd se massa la main en regardant Charlotte avec hésitation, mais il aimait trop savoir les choses et les dire pour tenir sa langue. « Eh bien, il a l'habitude d'y aller. Je sais qu'il y est.

– On va peut-être y faire un tour, fit celui qui se disait le cousin de Pierre.

– Vous avez juste à descendre au bourg, dit Rudd, c'est au sud par rapport à ici, ou alors vous prenez à droite. Bon, c'est pas là que ça se passe, mais vous verrez des panneaux qui vous y conduiront. C'est une grosse production. »

Un type plus âgé qui accompagnait le premier hocha la tête solennellement, ses sourcils roux froncés. « Ouais, on a vu les panneaux, dit-il.

– Vous perdez votre temps, dit Charlotte. Pierre n'est pas dans le coin.

– Bon, qui sait ? fit l'homme à la veste de pêcheur. Peut-être que la pièce nous plaira. »

« Bon sang, pourquoi tu m'as piqué avec le crayon ? » demanda Rudd quand les trois hommes furent repartis.

Charlotte alla dans la cuisine où vrombissait le polissoir électrique. Keith l'éteignit et remonta les lunettes protectrices sur son front.

« Où est Pierre ? demanda Charlotte. Est-ce qu'il est allé voir la pièce ?

– C'est bien possible. Pourquoi ?

– Eh ben, des gars étaient là à l'instant, ils le cherchaient. Il y en a un qui a dit qu'il était son cousin.

– Son cousin. Ça ressemble à un coup fourré, ça, non ? Tu lui as rien dit, j'espère.

– Non, mais bien sûr il a fallu que Larry Rudd la ramène comme s'il était leur vieil ami perdu de longue date, et il leur sort : "Allez voir du côté de la pièce de théâtre, Pierre y va toujours." C'est vrai ?

– Putain, qu'est-ce que j'en sais ? »

Keith enleva les lunettes protectrices et les posa à côté du polissoir, sur la table en fer toute brillante. Il sortit par la porte latérale et Charlotte le suivit. Ils regardèrent dans le parking, mais les hommes avaient disparu, et il n'y avait plus que les voitures qui s'y trouvaient auparavant.

« Bien, laisse-moi réfléchir », dit Keith.

Pendant ce temps, la fin de la pièce approchait. Le fermier et le jeune braqueur de banque disputaient leur fameuse partie d'échecs dans la salle de séjour de la scène.

« Vous allez vous faire manger votre cavalier par mon pion dans trois coups, dit le braqueur. Je veux que vous le sachiez. Dites, vous auriez pas un accordéon, si ? Je joue rudement bien de l'accordéon.

– Non, répondit le fermier. Pas d'accordéon. »

La femme était assise dans un rocking-chair, elle lisait *Wallace's Farmer*. Le deuxième frère faisait les cent pas au fond de la scène, et le troisième regardait d'un air absent le public, comme par une fenêtre.

« Je crois que j'ai laissé mon manteau à la banque, dit-il.

– Bah, je vais te dire, fit le frère qui jouait aux échecs, une fois qu'on se sera tirés d'ici, tu pourras t'acheter un manteau comme tu en as jamais vu.

– Y avait du gaz lacrymogène dessus. Je l'ai jeté et j'ai marché dessus.

– Tu pourras acheter un *magasin* entier de manteaux.

– Je crois qu'il y avait mon nom dessus.

– Tu quoi ?

– Écrit à l'intérieur du col.

– Ohh, ça lui plaît pas », fit remarquer le fermier.

Le jeune braqueur se leva, abandonna la partie d'échecs et balaya l'échiquier d'un violent mouvement du bras. Les figurines rebondirent de toutes parts, tombant hors de la scène.

« Mon plan imparable, dit-il. Réduit en lambeaux.

– Ce n'est que justice, dit la femme depuis son rocking-chair. Elle vous rattrape toujours.

– J'ai déjà entendu ça, dit le braqueur. Mais j'avais l'impression qu'il y avait un peu de battement, quand même. Pas qu'on allait offrir à la justice un manteau avec ton nom dessus en sortant. »

Carrie se redressa curieusement, regarda Pierre et mit la main dans sa poche. C'était son téléphone.

« Allô, fit-elle à voix basse. Ouais. On est en pleine représentation… D'accord. Un instant. »

Elle tendit le téléphone à Pierre. « C'est pour toi. C'est Keith Lyon. »

NEUF

Pierre s'éloigna de la scène pour prendre l'appel. Il marcha dans la travée, sortit du hangar et se tint dans l'allée, le petit téléphone à l'oreille.

« Hon-hon, hon-hon », fit-il. Puis il retourna dans le hangar et se mit au bar en écoutant Keith au téléphone.

« Entendu, dit-il. D'accord. »

Il fit signe à l'homme derrière la table de lui verser du whisky dans un petit verre. Il dit au revoir, replia le téléphone, qui claqua comme la gueule d'un petit animal argenté.

Le whisky coûtait trois dollars, il posa le téléphone et paya avec un billet de cinq. Pierre oublia le téléphone, sortit et but le whisky, qui avait bon goût.

Shane avançait à pied entre les voitures dans l'obscurité. Il tenait le caillou sablonneux qui l'avait mis K.O.

Pierre savait ce que c'était. Ils se tinrent face à face pendant un assez long moment.

« Tu as oublié ça, dit Shane.

– Gardez-le, dit Pierre.

– À propos, tu aurais pas pu faire une plus grosse bêtise.

– Allez-vous-en, dit Pierre. Sinon, plus tard, vous direz : "Je regrette de ne pas avoir fichu le camp."

– Tu as mon fric ?

– Pas sur moi.

– Il est où ?

– Je l'ai enterré.

– Alors tu vas le déterrer et le rendre.

– Pourquoi je ferais ça ?

– Parce que je vais te tuer. Et s'ils rappliquent pour t'aider, je les tuerai aussi. Comme ça tout le monde saura que tu en auras entraîné d'autres dans ta chute. Même quand tu seras mort ils t'aimeront pas. »

Ils s'éloignèrent du hangar.

« Vous avez perdu, dit Pierre. Vous avez édicté le règlement et vous avez perdu, et maintenant vous vous dites que le règlement ne vous plaît plus trop.

– Ouais, c'est ça, ouais, non mais putain je t'ai sonné ?

– Quand vous m'avez volé mon sac, vous étiez en train de dire que tout ce qui était à vous ou à moi reviendrait à celui qui mettrait la main dessus à condition de ne pas se faire prendre.

– Tu es quoi, avocat ? » Shane frappa Pierre à la tête avec le caillou. « Qu'est-ce tu dis de ça, msieu le baveux ? Ça fait mal, hein ? »

Pierre tituba mais ne tomba pas et n'émit pas un son. Deux hommes fumaient près de la voiture.

« C'est le gus ? demanda le plus vieux.

– Ouais, fit Shane. Il dit qu'il a enterré le fric.

– Tu le crois ?

– Eh ben, il est pas chez lui. Ça on le sait. »

L'homme se gratta le coude et se racla la gorge. « Moi ça me paraît louche, dit-il. Les gens enterrent plus le fric.

– Bah, lui il dit qu'il l'a enterré, Ned, dit Shane. S'il ment, on s'en rendra compte bien assez tôt.

– Vous êtes entrés dans mon appartement, dit Pierre.

– Ouais, fit Shane. Elles sont belles tes maquettes de bateaux, mais faut que je te dise, tu ressembles à un putain de môme. Et elles ont pas trop bien tenu quand on s'est appuyés dessus.

– Alors là vous avez eu tort, dit Pierre.

– Ferme-la et pose ton cul de macchab' dans la bagnole. »

Shane donna un coup de pied à Pierre, mais celui-ci pivota, lui attrapa la jambe et l'envoya au tapis, comme il avait appris à le faire.

« Tiens, ça se passe mal », dit Ned. Il frappa Pierre d'un coup de poing dans le cou. Pierre fit fonctionner sa mâchoire, essayant de se démêler les cordes.

Shane se releva, s'épousseta d'une main, un flingue dans l'autre, et fit reculer Pierre avec.

« Le grand violon aussi, dit-il. Parce que Lyle pensait que le fric était peut-être dedans. Et je lui ai dit comment veux-tu qu'il le mette là-dedans. Et puis ensuite je me suis dit on va pas discutailler alors qu'il y a qu'à bousiller le crincrin, comme ça on verra bien. Maintenant dis-moi où est mon fric.

– Dans un verger », répondit Pierre.

Ils suivirent la route qui partait de la ferme et avisèrent une enfilade de voitures de flics qui descendaient de la crête en une courbe de lumière bleue.

Shane conduisait, Lyle et Ned étaient à l'arrière, avec Pierre entre eux. Les nuages s'étaient dissipés, la lune était aux trois quarts pleine, assez basse au-dessus des collines.

Le clignotant émit son tic-tac entêtant lorsque Shane attendit pour tourner à gauche que finisse de s'ébranler le convoi des véhicules de police, gyrophares en action, mais sans les sirènes.

« Ils les ont appelés, au bar, je parie, dit Shane.

– Les flics se pointent toujours après la bataille, fit Lyle. Vous avez remarqué ? Ils déboulent toujours une fois que les trucs ont eu lieu, jamais pendant.

– Euh, parfois si, quand même, dit Ned. Alors là, c'est le face à face, et ils se planquent derrière leurs bagnoles et causent dans leurs mégaphones.

– Rarement, dit Lyle. Très rarement.

– Il vous a raconté ce qui s'est passé ? demanda Pierre. Il a essayé de me voler mes vêtements et des assiettes en carton, et ça lui a coûté soixante-dix-sept mille dollars.

– Combien ? demanda Ned.

– Bon, la somme a pas d'importance, dit Shane. C'est l'idée qui compte.

– Tu nous as pas dit que ça faisait autant, fit Lyle.

– Tu crois ce voleur plutôt que moi ? fit Shane. Je sais pas quoi te dire.

– On recomptera, une fois qu'on l'aura récupéré, dit Ned.

– Pourquoi ?

– On est rémunérés au pourcentage.

– Qui a dit ça ?

– Toi.

– C'est ce que tu as dit, Shane », fit Lyle.

Shane conduisit en silence. Puis il dit : « Vous voulez compter, bah vous gênez pas.

– Bien.

– Toi tu peux compter, et *toi* tu peux recompter, et ensuite vous pourrez compter ensemble comme des petites bonnes femmes bien chicos dans une banque.

– Ouais, on pourrait peut-être bien faire ça.

– Je m'en tape. C'est mon fric. Je peux me permettre d'être généreux. Mais tu es curieux. Je comprends. »

Ils restèrent sur les petites routes. Ned n'aimait pas l'idée de devoir compter sur l'itinéraire que lui indiquait Pierre, mais en vérité Pierre n'avait nulle intention de les conduire ailleurs qu'au verger.

Ils pouvaient voir les lumières de Shale, plus loin, au sud. Pierre essaya d'imaginer qu'il ne reverrait plus jamais la ville, mais ne parvint pas vraiment à y croire.

Ils s'engagèrent sur la route du verger à l'endroit où Charlotte et Pierre étaient sortis de la forêt la fois où Tim Geer s'était perdu, ou en tout cas l'avait prétendu.

Les phares glissèrent sur l'écorce rainurée des arbres et le pare-chocs avant coucha les hautes herbes blanchies qui envahissaient la voie. Pierre avait emprunté plusieurs fois cette route en voiture, les traces de pneu étaient donc faciles à suivre. L'herbe haute se pressait contre le châssis, donnant l'impression que la voiture flottait, l'accompagnant d'un doux chuchotement, comme de l'eau.

À chaque fois que Shane prenait un tout petit peu de vitesse, il était obligé de ralentir et de tourner le volant, car la route montait en lacet à flanc de colline. Ce fut un trajet assez silencieux. Personne n'avait grand-chose à raconter au milieu de ces bois sinistres. Ned croisait et recroisait les bras, comme font les costauds, et Lyle n'arrêtait pas de se retourner et de regarder par la lunette arrière pour s'assurer que personne ne les suivait.

« Tu parles d'un putain d'endroit pour planquer son fric, dit Ned. T'as jamais entendu parler des coffres-forts ?

– Non, jamais.

– Comment t'as fait pour le trimbaler jusqu'ici ?

– En voiture.

– Et creusé un trou.

– Ouais, quoi d'autre ?

– Comment tu sais que quelqu'un l'a pas retrouvé ?

– Ou un animal, intervint Lyle. S'il a senti une odeur humaine. »

Pierre songeait que cela aurait déjà dû se produire, maintenant. Il essayait de se rappeler où exactement, il aurait voulu qu'ils se taisent pour lui permettre de se concentrer.

« Je n'en sais rien. Je ne dis pas que quelqu'un ne l'a pas retrouvé, fit-il.

– Je veux que tu comprennes un truc, dit Ned. Je pense que tu es un menteur. Si ce fric est pas là, et je me fiche de savoir pourquoi, tu seras un fils de pute qui va vraiment le regretter. Si le trou est vide, ou si tu retrouves plus l'endroit, ou si le fric y était hier mais que des opossums l'ont déterré et l'ont bouffé, je m'en tape, parce que dans ce cas c'est moi personnellement — »

C'est à cet instant que la voiture heurta la chaîne tendue en travers de la route. Shane ne roulait pas à plus de 30 kilomètres à l'heure, mais c'est une vitesse trop importante lorsqu'on percute une chaîne de plein fouet. Il aurait peut-être suffi que la voiture soit stoppée net dans sa course, mais ce qui se passa fut plus destructeur. La chaîne remonta le capot comme une lame en crissant, brisant du même coup le pare-brise, pliant l'armature du toit, si bien qu'au lieu de simplement arrêter la voiture, la chaîne fut comme une main géante l'enfonçant dans la chaussée.

Puis il y eut des détonations simultanées lorsque la chaîne céda en même temps que les airbags se déclenchèrent. Tout cela se produisit en un instant, durant lequel l'intérieur s'emplit de fumée et d'un blizzard de verre securit, et il ne fut pas difficile pour Pierre, qui était le seul à avoir une idée de ce qui se passait, de ramper par-dessus Lyle, d'ouvrir la portière et de se laisser tomber par terre.

Tim Geer et Stella marchaient au milieu des mannequins dans un magasin de robes vide à Rainville. Le magasin avait fait faillite et Tim en possédait une clé pour des raisons qu'il ne donna pas.

« Tu vois quelque chose qui te plairait ? »

Stella tâtait le tissu d'une robe bordeaux avec des roses blanches. « Celle-ci n'est pas mal », dit-elle.

Tim fit descendre la fermeture éclair de la robe et essaya de l'enlever du mannequin, mais le mannequin tomba par terre et l'un des bras s'arracha.

« Je galère, dit-il.

– Laissez tomber, Tim.

– Dis, à propos de cette affaire, avec Pierre.

– Ouais ?

– C'est ce soir.

– Ah. »

Il hocha la tête et remit le mannequin en place. « J'ai un peu menti sur ce coup.

– Pourquoi ?

– Pour que tu restes en dehors de tout ça.

– J'ai dit que je resterais en dehors. »

– C'est comme ça.

– Est-ce qu'il s'en sort ?

– Je sais pas. Je vois le truc aller dans un sens ou dans l'autre. Mais rappelle-toi comment tu l'as rencontré. »

Tim Geer passa derrière le comptoir et éteignit les lumières du magasin.

« Tout ça a été du temps supplémentaire pour lui », dit-il.

Pierre courut sur la route en direction du verger où le ciel nocturne s'étalait au-dessus des arbres bas, les étoiles et la lune étaient apparues, et il sentit qu'il était arrivé chez lui. Il se retourna, regarda derrière. La voiture avançait très lentement et un phare fonctionnait encore, sauf qu'il était braqué vers le sol.

Il entra dans la cabane du verger et prit son fusil posé sur les chevrons. Les cartouches étaient dans une boîte du tiroir de la table. Il retourna le fusil dans ses mains, y introduisit cinq cartouches, et en mit une douzaine dans sa poche en se disant que si cela ne suffisait pas, le nombre de cartouches supplémentaires ne changerait rien.

Pierre estima qu'ils devaient être tout près de renoncer. Shane résisterait peut-être, mais ses amis toucheraient manifestement une toute petite part de l'argent, et il était probable qu'au point où ils en étaient ils auraient payé juste pour pouvoir rentrer chez eux, où que ce soit. Et puis Shane avait dû bien déguster lorsque la voiture avait heurté la chaîne. Par deux fois désormais Pierre l'avait amené à percuter quelque chose avec son véhicule. Aucun des trois hommes ne semblait être un modèle de compétence.

Pierre s'approcha de la fenêtre de la cabane et essuya la vitre avec la manche de son manteau. La voiture attendait, son unique phare allumé, et les gars en étaient sortis, ils remontaient la route à pied. Ils avaient une lampe de poche et éclairaient les arbres, faisant s'allonger et tournoyer les ombres des branches.

Pierre voulait faire quelque chose maintenant, avant qu'ils approchent davantage. Il voulut tirer un coup de feu pour qu'ils sachent qu'il était armé. C'était peut-être ce qui les ferait partir. Bien sûr, lui-même pouvait déguerpir. Il pourrait sans doute redescendre par là où Charlotte et lui étaient montés. Il n'y avait pas vraiment de sentier mais il pourrait se faufiler entre les arbres où jamais ils ne le suivraient.

Oui mais ensuite ?

Non, songea-t-il. Ça lui plaisait ici. Il était arrivé à ce terrain qu'il connaissait et n'avait pas envie de retourner dans les bois.

Il sortit donc de la cabane, ne visa rien avec son fusil et pressa la détente.

Il n'avait jamais tiré avec une arme en pleine nuit et fut surpris par la flamme jaune. Ensuite il éjecta la cartouche et s'échappa dans les pommiers avant qu'eux ou lui aient le temps de réfléchir à la façon de réagir.

Shane, Ned et Lyle s'approchèrent de la cabane en tirant comme des as de la gâchette au Far West. Du verre cassa et des planches volèrent en éclats.

C'était une chose à faire, mais inefficace parce que, après le coup de feu, ils avaient vu Pierre s'échapper en courant.

Ils restèrent sur les planches devant la cabane. Lyle regarda autour avec sa lampe de poche.

« Tu sais, je l'ai vu ce film, dit Ned. Le gars seul contre tous qui bute tout le monde.

– Lyle, fais le tour.

– Le tour de quoi ?

– De la baraque.

– Qu'est-ce que tu veux dire ? »

Shane lui empoigna la figure. « Bon sang. Tu longes la baraque par ce côté-là, tu passes derrière, et tu reviens par ce côté-ci. »

Lyle repoussa la main de Shane. « Pourquoi je ferais ça ?

– Pour voir s'il est là.

– Il est parti en courant. Je l'ai vu.

– Contente-toi de faire ce que je te demande.

– J'ai pas envie. C'est pas bon, Shane. J'ai l'impression d'avoir été complètement floué. Et pas seulement pour l'argent.

– Bon, il se trouve qu'il a un flingue. C'est ça qui te fiche la trouille ?

– C'est pas une question de trouille, dit Lyle. C'est une question de s'entendre dire un truc et de découvrir, une fois que tu déboules sur place, qu'en fait c'est autre chose.

– Je vais pas rester à poireauter ici pour comparer nos notes, dit Shane. Si tu es incapable de faire le tour d'une pauvre cabane dans le noir, je vais y aller, moi.

– Non, j'y vais, dit Lyle. Mais je veux juste que tu saches que toute cette opération est complètement merdique.

– Bien. Passe-moi la lampe de poche.

– Non.

– Réfléchis. Une lampe de poche, c'est quoi sinon une grande cible lumineuse. Réfléchis, Lyle. »

Lyle donna la lampe à Shane et s'en alla, et Shane et Ned entrèrent dans la cabane, en piétinant le verre cassé.

Shane braqua la lampe de poche dans les coins envahis de toiles d'araignées du petit bâtiment. « Ce gars commence à sérieusement me faire chier, dit-il.

– Tu penses que l'argent est ici ?

– Improbable. On dirait qu'il avait bien goupillé son coup.

– Alors tirons-nous.

– La bagnole est complètement pliée.

– Elle est assurée, dit Ned. On va la lourder et on en prendra une autre.

– Va-t'en, toi. Moi je pourrai pas garder la tête haute en public si je me casse maintenant. »

Ils entendirent des bruits de pas sur les planches, puis Lyle apparut dans l'encadrement de la porte. « Il est pas là. »

Shane s'approcha de lui. « Évidemment qu'il est pas là, dit-il. Tu sais pourquoi ?

– Parce qu'il est parti.

– Et qui est-ce qui l'a laissé partir ?

– J'étais censé faire quoi ?

– Ah bah, je suis bien content que tu poses la question, dit Shane. Premièrement, un mec te passe dessus pour sortir d'une bagnole *à l'intérieur* de laquelle tu essayes de le garder, alors que tu as un flingue, tu l'en empêches. Ça c'est un des trucs importants qui devraient figurer sur ta liste. Tiens, que je te montre. Tu prends le flingue dans cette main. Comme ça, là. Et ensuite tu dis, tu sais, ce qui te passe par la tête. Bouge pas. Reste où tu es. Arrête-toi ou je tire. Et s'il obéit pas, alors là tu fais en sorte qu'il obéisse quand même. »

Lyle éclata de rire. « Bon sang de bon sang, non mais tu te fous de moi, là, dit-il. Je pensais que t'étais tombé bien bas, mais à ce point-là je soupçonnais pas. Tu t'es pris de plein fouet une chaîne avec ta bagnole. C'est toi qui as fait ça. Et maintenant tu veux me faire porter le chapeau ? C'est pour ça qu'il s'est tiré. Parce qu'il t'a dit de foncer tout droit et que toi, comme un con, t'as foncé tout droit. Tu y crois, Ned ? Un pauvre naze comme ça, tu y crois ?

– Ouais, boucle-la, fit Ned. Personne l'a arrêté, il y a pas que Lyle. »

Shane leva le pistolet, appuya sur la détente et Lyle tomba du porche, et resta étalé dans l'herbe.

« Alors là, on aura tout vu, dit Ned.

– Ce connard de Shane m'a tiré dessus, dit Lyle.

– Oh, t'es pas blessé, fit Shane. Mets-la en sourdine.

– Pas blessé ? Tu lui as tiré en plein cœur, fit Ned.

– Hé, tu me cherches, tu me cherches, et à ton avis il va se passer quoi, à la fin ?

– C'est horrible, dit Lyle. Maintenant je vais crever dans un parc naturel à la con ou je sais pas quoi, où tu nous as emmenés parce que tu as pas été capable de garder ton propre pognon.

– Tu vas pas crever, dit Ned. On va t'emmener quelque part, ils s'occuperont de toi.

« – Comment ? fit Lyle. *La bagnole est en miettes.*

– On roulera doucement.

– Donne ma thune à ma sœur.

– De quelle thune tu parles ?

– Quand on aura repris l'argent à ce môme. Ma part ira à ma sœur. Tu feras le décompte et tu lui donneras ma part, Ned. Elle travaille à la boutique de photocopies. Tu sais. Là où tu apportes ton CV. Et j'ai un livret bancaire. Il y a pas beaucoup. Il doit y avoir dans les mille dollars. Je sais pas exactement. Je pense que c'est dans le tiroir. Tu verras bien ce qu'il y a marqué. Ou si ton chien est perdu. Et tu vas dehors mettre ton annonce avec une agrafeuse. Tu la connais, hein ?

– Ouais, Lyle. Je lui filerai.

– Elle s'appelle Laurie. Donne-lui ma thune. Y a comme un flottement, là. J'apprécie vraiment les gens. Mais je sais pas comment ça va finir. Ned, marche sur ma main.

– Pourquoi ?

– Pour la maintenir au sol.

– Non, je vais pas le faire.

– Tu y crois, toi ?

– Chut. »

Lyle ne tint pas beaucoup plus longtemps. Il mourut là, sur l'herbe. Ned s'assit sur le bord du porche et ramassa la cartouche du fusil de Pierre. Elle était encore chaude et avait l'odeur d'une journée de chasse.

« Eh ben, je sais pas quoi dire, fit Ned. Je crois que je vais y aller.

– D'accord. Je fais le boulot. C'est comme cette baraque. J'ai fait le boulot. J'ai tué les gens. Toi tu t'occupes plus ou moins des téléphones. »

Ned se releva et épousseta ses jambes de pantalon. « Lyle avait raison à ton sujet. Maintenant il est mort, et un môme que tu as essayé d'arnaquer est tranquillement en train de nous viser pendant qu'on baratine. C'est du calibre douze, à propos.

– Tu prends la voiture ? demanda Shane.

– Je sais pas. Je crois que je vais essayer.

– Ouais, ça va probablement marcher.

– Reviens pas chez moi. Je mettrai tes affaires dans un carton et je te les enverrai où tu veux.

– Je t'appellerai un de ces quatre. »

Shane s'agenouilla, défit son lacet de chaussure tout en fixant le visage immobile de Lyle.

« Pourquoi tu fais ça ? demanda Ned.

– Elles me font mal aux pieds. »

Pierre retourna à pied dans le verger et s'assit en tailleur à l'aplomb d'un vieux saule dont l'écorce se déployait en éventail, formant une sorte de siège. Ce n'était pas aussi inconfortable qu'on l'aurait pensé. Assez froid, en revanche. Il sortit ses gants en cuir de ses poches et les enfila.

Il resta à cet endroit un long moment. Il entendit le coup qui fut tiré et se demanda si Ned et Lyle s'étaient retournés contre Shane et l'avaient tué. Cela signifierait que Pierre en avait terminé. Plus tard, à un moment donné, il vit le phare de la voiture qui exécutait un laborieux demi-tour et quittait cahin-caha le verger. Ils s'en allaient peut-être. C'était peut-être trop optimiste. Mais quelqu'un s'en allait. Il se demanda jusqu'où ils pourraient aller avec une voiture dans cet état.

Il baissa la tête et piqua du nez. En se réveillant, il regarda sa montre. Il avait dormi vingt minutes. Il y avait maintenant une autre lumière, plus proche, pas sur la route, peut-être à quarante mètres, décalée de deux ou trois rangées. Ce devait être la lampe de poche. Elle tournait en cercles lents. Elle n'allait nulle part. Pierre observa la lumière et son tournoiement monotone pendant une demi-heure. Si quelqu'un la tenait, alors quelque chose clochait chez lui.

Il savait marcher dans les bois sans faire de bruit. Il fallait planter les talons et maintenir le poids en arrière jusqu'à être certain que rien ne craquerait sous le pied. Mais cela prenait du temps.

Personne ne tenait la lampe de poche. Elle tournoyait en l'air sous les branches d'un pommier. Pierre tendit la main et se rendit compte que la lumière avait été suspendue à l'aide d'une ficelle, et l'éteignit.

Voilà qui est étrange, songea-t-il. Mais maintenant je sais.

Il se retourna à temps pour voir les étincelles dans les arbres de l'autre côté du chemin. Ensuite vint le son. Il sortit le vieux flingue Savage et tira, et le recul le projeta au sol.

Une branche craqua et une forme sombre tomba au sol, comme un oiseau de nuit.

Il sentit comme un fil de fer sur le côté de la gorge ou peut-être la lame d'une scie à ruban, vive et froide. Il ramena la main et toucha le trou qui avait été fait.

Qu'est-ce que j'avais besoin de savoir ce que c'était que cette lumière? songea-t-il.

Au-dessus de lui il vit la lune qui brillait dans les bras bleus des branches.

Stella trouva le premier mort devant la cabane et le second à l'agonie sous un arbre. Elle plaça sa main derrière la tête du gars et la releva.

« C'est vous qui avez mis le feu à la maison de Leslie? demanda-t-elle.

– Tu as rien à boire, si?

– Non. Dites-moi. L'incendie, c'est vous?

– C'était pas la sienne. Je savais pas.

– Mais c'est vous.

– Ouais.

– Qui vous a aidé?

– Personne.

– Alors pourquoi vous l'avez fait?

– Ned m'avait embauché.

– Et où est-il ?

– Vous êtes qui ?

– Je suis l'amie de Pierre

– Oh, merde, bien sûr. Évidemment.

– Où est celui qui vous a embauché ?

– Vous êtes pleine de lumière.

– Ne me regardez pas.

– Il est parti en voiture.

– Et Pierre ?

– Je sais pas, par ici, quelque part.

– C'est lui qui vous a tué ?

– Ouais, probablement. Très bientôt, je pense qu'on pourra dire ça.

– Je pense pouvoir le dire maintenant », déclara Stella.

Pierre fut celui qu'elle trouva en dernier. L'herbe était sombre et poisseuse sous sa tête.

« Oh, fit-elle. Oh, mince. »

Elle tomba à genoux, le prit par les épaules et l'attira à elle. Et là elle le tint jusqu'à ce que la lumière commence à apparaître dans le verger.

DIX

L'officier de police Telegram Sam arriva à l'aube le dimanche matin et barra la route avec du ruban jaune tendu entre deux arbres à l'endroit où elle débouchait sur le verger. Il déplia des tréteaux en plastique et les disposa en ligne, puis retourna à son véhicule chercher un mètre-ruban dans la boîte à gants.

Un shérif adjoint arriva, avec du café dans un gobelet en polystyrène. « Ils sont là tous les trois, dit-il.

– Et morts, fit l'agent.

– Affirmatif.

– Edmund Anderson avait dit qu'il n'y en avait qu'un, quand il est parti. »

L'adjoint jeta le café par terre et vida la tasse en la secouant. « Eh bien, il y en a trois, maintenant.

– Pierre Hunter ? »

L'adjoint hocha la tête. « D'après son permis.

– Shane Hall.

– Et un autre.

– Vous avez un appareil photo ?

– J'allais justement le chercher.

– Vous savez que j'aurais peut-être pu empêcher ça.

– Comment ?

– J'avais entendu des choses. Concernant ce Hall, et le fait qu'il recherchait Hunter.

– Bon, vous en avez entendu parler, d'accord.

– On en a tous entendu parler.

– Pas moi. Je sais même pas qui c'est. Mais ce que je veux dire, c'est qu'on entend dire beaucoup de choses.

– Je suis d'accord avec ça.

– Il y a probablement dix choses par jour dont j'entends parler, et je pourrais revenir sur chacune après les faits et me dire : "Oh, bien sûr." Mais je ne sais pas lesquelles, au milieu de la vaste majorité des trucs qui sont juste rien du tout.

– Ma foi, on sait pas.

– Bien sûr.

– Je lui ai parlé, en revanche.

– Hunter.

– Ouais. Essayé de lui faire dire – ce qui se passait.

– On peut pas aider ceux qui veulent pas s'aider eux-mêmes. Qu'est-ce qui lui arrivait, à ce gars ?

– Oh, une embrouille. Vous savez. Une rencontre hasardeuse. Un incident non résolu sur l'autoroute.

– Bon, fit l'adjoint, l'incident me paraît maintenant résolu, de toute façon. »

Les journalistes commencèrent à arriver dans la claire lumière du matin, et ils restèrent là à piétiner comme des chevaux impatients à la frontière imposée par le ruban jaune. Ils regardaient avec envie en direction des arbres noueux où se trouvaient les corps.

« Bien, fit Telegram Sam. Nous allons commencer. Et il va falloir que vous soyez patients. Il y a beaucoup de choses que nous ignorons. »

Ce matin-là, au presbytère, le révérend John Morris se réveilla, sortit de son lit, se doucha, se rasa, s'habilla, s'installa dans la cuisine et mangea des toasts en écoutant les informations à la radio.

Au début ils annoncèrent juste que des gens avaient été tués, et un peu plus tard, pendant qu'il faisait la vaisselle, ils interrompirent la musique pour donner les noms.

Il se rassit et fuma une cigarette. Il avait un cendrier en fin métal rouge qui n'arrêtait pas de glisser sur la table et de lui échapper. Il posa alors la cigarette incandescente sur le linoléum, prit sa boîte à outils sous l'évier, cloua le cendrier à la table, et les cendres rebondirent en l'air un peu partout tandis qu'il frappait avec son marteau.

Il ramassa la cigarette et l'écrasa dans le cendrier désormais inamovible. Dans un moment comme celui-ci, il savait que la coutume voulait que le pasteur prononçât quelques paroles profondes à l'attention de la communauté. Et un bon ministre ferait cela, se dit-il : laisser tomber le sermon et dire des mots puissants et émouvants – émouvants, très probablement, parce que spontanés.

Et Dieu aime ceux qui sont capables d'une telle initiative, mais je ne suis pas de ceux-là, songea-t-il. Il faudrait être calme et sage, et regardez-moi ; je viens de planter un clou dans une table en parfait état.

Dans l'après-midi, il alla au Valet de Carreau. C'était fermé. Keith Lyon et Charlotte Blonde accrochaient une banderole de tissu noir en travers de la façade, sous les fenêtres. Le pasteur les aida, il tint l'étoffe pour qu'elle ne traîne pas par terre pendant qu'ils l'accrochaient.

Ensuite ils reculèrent jusqu'à la route et constatèrent qu'elle était bien disposée, et bien sombre, et ils rentrèrent dans la taverne, où ils s'installèrent et burent de l'ouzo dans de lourds verres octogonaux qui réfractaient la lumière, et ils parlèrent à peine, car il n'y avait rien à dire.

Pierre et Stella marchaient bras dessus bras dessous sur la route. La terre était molle et grise et les ombres des feuilles créaient des motifs foncés sur le sol. Ils entendirent le murmure d'un ruisseau, plus loin, devant. De la mousse colorait les pierres et des champignons aux formes complexes jaillissaient de l'écorce.

« Bon et maintenant ? demanda Pierre.

– Tu les descends.

– Je descends l'escalier.

– Exact. Et tu marches et tu marches, et ensuite tu arrives dans une salle.

– En bas de l'escalier.

– Non. Tu descends l'escalier et ensuite tu marches, tu marches. Jusqu'à une salle, avec une lumière et un lit.

– Comme un motel.

– Ouais, un peu. Comme un hôtel.

– Oh, arrête.

– Non, c'est ça. Tu verras. Et tu t'allonges. De toute façon, tu en auras envie parce tu seras très fatigué. Et donc tu t'endors. Et ce que tu rêves devient ta nouvelle vie.

– Est-ce que je me souviendrai de ça ?

– Probablement pas. La plupart des gens ne s'en souviennent pas. Mais moi si. Et je te retrouverai. Je te le promets.

– Peut-être que je me rappellerai.

– Quand je te reverrai, tu te rappelleras. Peut-être pas tout. Mais suffisamment. »

Ils franchirent un muret de pierre et marchèrent jusqu'au ruisseau qu'ils entendaient depuis déjà un certain temps. Il y avait une petite île au centre avec de l'eau qui venait se briser dessus, et un conifère abattu formait un pont partant de la rive. Ils traversèrent, les bras écartés pour garder l'équilibre. Au centre de la petite île, des rochers blancs encadraient une porte verte penchée comme celle d'un abri contre les tempêtes.

Il y avait un panneau sur la porte :

CETTE PORTE DOIT
RESTER FERMÉE
EN PERMANENCE
SANS EXCEPTION

« Nous y voilà, dit Pierre.

– Je ne peux pas t'accompagner.

– Vraiment. »

Elle le prit dans ses bras et l'embrassa. « Je suis navrée, Pierre. Je t'aime.

– Tu peux peut-être m'accompagner une partie du chemin.

– Je ne peux pas. »

Pierre se pencha, posa la main sur la poignée en cuivre de la porte. « C'est fermé, dit-il.

– Utilise la clé », dit-elle.

Il sortit la clé de sa poche et la fit tourner dans la serrure. Il ouvrit alors la porte et la rabattit en douceur sur les rochers blancs. Des marches descendaient dans l'obscurité.

« Ma foi, on pourrait probablement pas faire beaucoup plus effrayant si on essayait, dit-il.

– Je sais. » Elle pleurait.

« Je referais tout pareil », dit Pierre.

Il descendit l'escalier et elle le regarda s'en aller, et lorsqu'elle ne put plus le voir, elle referma la porte et s'assit sur les rochers. Elle resta sur l'île pendant deux nuits de pluie. Tard le troisième soir elle apparut au Valet de Carreau, où Charlotte Blonde lui trouva des vêtements secs, et Keith lui fit à manger, et Charlotte l'emmena ensuite à la réserve et lui prépara le canapé pliant pour qu'elle dorme dessus.

**

La pluie s'arrêta à temps pour les funérailles de Pierre. Des musiciens venus de Desmond City jouèrent le concerto pour violoncelle en *mi* mineur d'Edward Elgar, que Pierre avait joué une fois à l'église. Allison Kennedy et les Carbon Family interprétèrent « When the Roses Bloom Again ».

Et John Morris prononça l'oraison funèbre, dont voici un extrait :

« Ce sont des jours où l'on dit "au moins", fit-il. Peut-être que vous avez entendu ça en vous-même, ou une remarque faite par quelqu'un. "Au moins Pierre était amoureux." "Au moins il a écarté les hommes armés de la foule venue assister à la pièce de théâtre." "Au moins ses parents n'ont pas vécu pour voir ce qui s'est passé." Je trouve celle-ci particulièrement étrange, et pourtant je l'ai déjà entendue. Et c'est ce que nous faisons. Nous essayons de trouver un dessein plus général, et lorsque nous ne le trouvons pas, nous l'inventons. Mesdames et messieurs, nous l'inventons. Ce qui ne signifie pas qu'il n'y ait pas de dessein, mais seulement que nous, dans notre vision limitée, ne pouvons le voir. Comment le pourrions-nous ? Car nous sommes à l'intérieur d'un monde formidable et extraordinaire, qui relève plus ou moins du mystère, y compris pour ceux qui y réfléchissent.

« Un homme passe, un autre rentre chez lui. Un moment hasardeux sur l'autoroute. Une voiture de location qui percute une chaîne dans la pénombre des bois. Où était ce corps-ci par rapport à ce corps-là. Des bribes, des cartes et des rumeurs dans le journal. On dit que par respect pour la mémoire de Pierre nous nous devons de tout savoir jusqu'au moindre détail. Mais je dois dire que je n'y crois pas. Ce qui s'est passé là-bas, on ne peut pas le savoir et on ne peut pas revenir dessus, et pourtant nous aimerions tant qu'il en soit autrement.

« Ce sur quoi nous pouvons peut-être revenir, en revanche, c'est notre évitement tragique face à la brièveté de la vie, fit le révérend Morris. Une amie de Pierre m'a dit que lors de l'une de leurs dernières conversations, il avait émis l'idée que la vie était "amusante". "Comment ça ?" lui a-t-elle demandé. Sa réponse est venue en trois parties, que je définirais comme l'art, l'amour et la nature. Plus précisément, Pierre a dit qu'il trouvait cela amusant que "les feuilles bougent". Bien sûr, nous pourrions prendre cela pour une remarque sans conséquence, et même pour une remarque dénuée de signification, mais on peut peut-être y trouver quelque chose. Ce qu'il voulait peut-être dire c'est que cette planète et ces vies que l'on nous a données sont des opportunités que nous ne comprenons pas. Et donc nous en faisons mauvais usage, jour après jour. J'imagine qu'il découvrait cela lui-même et voulait en parler à quelqu'un. Nous regardons autour de nous dans l'espace et que voyons-nous ? Rien. Pas de feuilles, pas de vie à perte de vue. Et nous voilà. Faisons-nous de notre mieux les uns pour les autres ? Pour nous-mêmes ? Ou bien pouvons-nous trouver en nous-mêmes les ressources pour être davantage que ce que nous avons été ? »

C'est après l'oraison que le trio de Desmond City joua le morceau d'Elgar. La musique s'éleva comme des nuages noirs s'amoncelant puis éclatant en un orage sur le lac.

Un après-midi, Keith Lyon était assis et fumait sur un banc au soleil lorsqu'une femme rousse arriva en voiture sur le parking du Valet de Carreau et sortit de son véhicule, vêtue d'un tailleur beige avec des coutures vertes aux revers.

« On n'ouvre pas avant cinq heures et demie, dit-il.

– Pas grave, dit-elle. Je suis là à propos de Pierre Hunter.

– Ah, fit Keith.

– Je suis au courant, dit-elle. J'ai appelé à son appartement l'autre soir, et c'est le propriétaire qui a décroché. Il a dit que l'endroit était dans un état pas possible.

– Il l'était, oui, dit Keith. Il va falloir que j'y aille.

– Je l'ai rencontré pendant l'été, dit-elle. J'habite dans l'Utah, il s'était arrêté dans ma ville, et on a passé la nuit ensemble. Ensuite, plus tard, il m'a envoyé de l'argent dans une boîte.

– Donc c'était vous.

– En fait, ça faisait un bout de temps que je voulais lui parler. L'hôtel avait fait une fiche mais ils arrivaient pas à la retrouver.

– Vous avez faim ? Est-ce que je peux vous faire une omelette ou quelque chose ?

– Non, ça va, répondit-elle. Vous pourriez peut-être juste m'indiquer comment aller au cimetière. J'ai des fleurs que je voudrais déposer.

– Je vais vous y conduire, dit Keith.

– Je m'appelle Linda », dit-elle.

Ils montèrent dans la voiture et se rendirent au Cimetière Sud. L'après-midi était chaud et les arbres avaient changé de couleur tout le long des collines. Keith eut l'impression qu'il risquait de s'endormir dans la chaleur de la voiture. Il était très fatigué, ces derniers temps.

Ils arrivèrent au cimetière, situé dans les hauteurs et isolé par une vallée qui s'étirait vers l'ouest, et ils marchèrent entre les pierres jusqu'à un monticule de terre noire.

Keith se demanda s'il existait quelque chose comme un esprit qui perdurait. Il en doutait mais en même temps voulait croire que c'était possible.

La femme de l'Utah s'agenouilla devant la tombe et posa le lys orangé qu'elle avait apporté.

« J'ai pas eu l'occasion de te remercier, dit-elle. Alors... voilà, merci. Mais j'ai pas pu aller jusqu'au bout. »

Elle se tourna vers Keith, qui était debout, les bras croisés, au soleil.

« J'ai pas pu, dit-elle. J'ai l'argent dans la voiture.

– Aller au bout de quoi ?

– Ah, d'accord. J'avais dit à Pierre que je me ferais peut-être faire un jour une opération de chirurgie esthétique. Vous savez, comme ça, en passant. Et on s'était dit que ce serait cher. Et puis deux semaines plus tard tout cet argent arrive.

– Me dites pas si vous voulez pas, mais —

– Pour les cicatrices, dit-elle. Sur mon visage. Vous les voyez pas ? »

Keith approcha sa main, elle la prit et se releva.

« Euh, un petit peu, si, dit-il.

– J'ai parlé à des médecins, ils ont dit qu'ils pourraient peut-être les gommer un peu mais qu'ils pourraient pas les faire disparaître complètement. C'est bien moins évident que ce que Pierre et moi pensions. Alors je me suis dit, quitte à avoir des cicatrices de toute façon, autant avoir celles que je me suis faites.

– Elles sont vraiment pas si terribles.

– Merci, dit-elle. En tout cas, j'ai l'argent. Ça devrait peut-être aller à sa succession.

– Je crois pas qu'il en ait une.

– Ou à sa famille. »

Keith secoua la tête. « Sa mère et son père sont ici même.

– Je peux vous demander quelque chose ?

– Bien sûr.

– Est-ce que l'argent a un rapport avec ce qui s'est passé ?

– Ouais. Mais vous avez pas à culpabiliser. Je pense que quelles que soient les circonstances il aurait fait ça.

– Je me sens pas coupable. Mais bizarre, je crois. Je sais pas quoi ressentir.

– Il y a beaucoup de ça, oui », dit Keith.

Ils quittèrent le cimetière et redescendirent jusqu'au Valet de Carreau. Keith ouvrit la portière pour sortir mais dit : « Plus j'y pense, gardez l'argent. Il vous l'a donné. Il m'a jamais dit pouquoi. Je pense qu'il souhaitait que vous en fassiez ce que vous vouliez.

– Laissez-moi y réfléchir.

– Gardez-le donc. »

Le lendemain, Linda retrouva Keith chez Pierre, à Shale. L'appartement avait été saccagé comme ni l'un ni l'autre n'avait jamais vu un appartement saccagé.

« Regardez ce qu'ils ont fait », dit-elle.

Tout ce qui aurait pu servir de cache à de l'argent, et beaucoup de choses qui n'auraient jamais pu, était éventré ou écrasé, déchiré, arraché ou renversé. C'était un univers de morceaux brisés, de fragments et de lambeaux. On ne voyait quasiment pas le sol.

Il repéra un fil gris plat sortant du mur, repêcha le téléphone au milieu des débris et appela pour réserver une benne à ordures. En attendant de pouvoir parler à quelqu'un, il frotta son pantalon de sa main libre, puis la regarda.

« Il y a cette poussière argentée qui recouvre tout », dit-il.

Keith avait apporté des balais-brosses et une pelle à neige, et ils passèrent le plus gros de la journée à repousser tout ce qu'il y avait à travers l'appartement, jusqu'au porche de derrière, d'où ils pourraient tout faire tomber du premier étage dans la benne à ordures placée dans la ruelle. Il ne leur fallut pas longtemps pour comprendre que l'opération durerait plus d'une journée. Vers cinq heures, Keith commença à avoir mal au dos, et il alla au bout du couloir à la recherche d'une aspirine. En ouvrant le placard à pharmacie, il trouva un message scotché à l'intérieur :

dollars en argent à Charlotte Blonde
flingues à Roland Miles
MGA à Carrie Sloan
chapeau feutre gris à Keith Lyon
patins à glace à Stella Rosmarin

Keith appela Linda et elle le rejoignit dans la salle d'eau et lut à son tour le message.

« On devrait chercher ces trucs-là, dit-il.

– Ces cinq personnes récupèrent l'argent, dit-elle. Répartissez-le à parts égales.

– J'en veux pas.

– Alors donnez-le. Vous avez dit que je devais en faire ce que je voulais, et c'est ça que je veux en faire. »

Elle sortit de la salle d'eau, Keith prit un Advil et mit sa main en creux sous le robinet pour recueillir de l'eau. En revenant dans la cuisine, il vit qu'elle avait trouvé le chapeau de feutre gris et qu'elle l'avait sur la tête.

Roland et Carrie Miles étaient assis au bord de la jetée sur une île au large de la côte Ouest de la Floride. Ils étaient en vacances, et il ferait froid à leur retour à la maison. La jetée était longue, et tout au bout se trouvait un bâtiment carré avec un magasin d'appâts au rez-de-chaussée et un restaurant à l'étage.

Roland fumait en pêchant et Carrie, en appui sur ses bras, avait le visage orienté vers le soleil. L'eau se déplaçait non loin en une incessante houle argentée qui se transformait en écume sur une plage blanche bordée de maisonnettes.

« On devrait s'installer ici », dit-elle.

Roland ramena un hameçon nu, enfila une crevette dessus et relança sous l'embarcadère. Un barracuda était censé se cacher là, il apparaissait de temps en temps pour voler un poisson accroché à une ligne.

« Très bien, dit-il. Tu nous trouves un endroit et je descendrai nos affaires dans un camion jaune.

– On aurait des sandales aux pieds et on ferait du feu sur la plage le soir.

– Allez, espèce de vieux barracuda légendaire.

– Et tu rentrerais à la maison le soir avec du poisson dans ton seau et je dirais : "Qu'as-tu attrapé, mon amour ?"

– Trouve un endroit avec des portes-fenêtres.

– Et je dirais : "Regarde, chéri, regarde ce que j'ai trouvé. C'est un oursin plat." »

Roland donna un petit mouvement sec à la gaule et l'hameçon remonta en dansant à la surface, étincelant, cliquetant. « L'enfoiré m'a encore piqué mon appât.

– Et on ne se chamaillerait jamais. Parce qu'il fait trop chaud et on serait en phase avec le rythme de la vie. »

Il se leva et lui tendit la gaule et le moulinet. « Tiens, essaye un peu, dit-il. Tu veux une bière ?

– D'accord. »

Elle appâta l'hameçon et lesta la ligne d'un plomb supplémentaire et lança le plus loin possible vers le large, loin de la jetée, se disant qu'elle allait lui montrer comment s'y prendre.

Ils louaient une villa sur la plage de l'autre côté de l'île. Ce soir-là Roland voulut se rendre à pied dans un bar au bout de la route et Carrie lui dit de ne pas l'attendre, car elle avait envie de rester à la maison.

Elle s'installa dans le patio et écrivit à la lumière d'une lampe orange sur la table.

Les Journées du Braquage de Banque plus jamais,
Ce qui cette année ne fut que trop vrai :
Le trio de tueurs je ne l'ai point anticipé
Lorsque le téléphone je t'ai passé.
Il fait froid et gris à Shale maintenant
Et je conduis toujours ta caisse.
Le toit est ouvert, je passe les vitesses
J'erre avec mes larmes par le vent séchées
Et me demande où tu es.

Puis elle alla au bout du sentier de sable jusqu'au golfe du Mexique et pataugea dans l'eau. À l'horizon elle aperçut trois bateaux éclairés comme de lointaines villes.

Au-delà des brisants elle piqua une tête et nagea les yeux ouverts dans la mer sombre et elle pensa aux gros poissons de nuit en maraude dans les profondeurs, leurs yeux comme des soucoupes volantes, les nageoires en éventail.

Quand le golfe changea de température à hauteur du banc de sable elle toucha le fond de ses pieds et se tint debout, de l'eau jusqu'aux épaules, puis se retourna pour regarder le rivage. Les lumières de la villa formaient comme un village parmi les tours d'immeubles.

Elle ramena en arrière ses cheveux mouillés et attendit là, les mains sur la tête, de l'eau coulant sur son visage. Oui, se dit-elle, ils pourraient habiter ici. Il y aurait peut-être de bonnes choses à faire ici. Et puis ce ne serait pas nécessairement définitif.

C'est une chaude journée à la fin de l'automne. Chassant dans les collines, il trouve un verger qu'il n'avait encore jamais vu, sur les hauteurs, et vert dans le soleil de l'après-midi. Il est désert ; les arbres sont jeunes et bien entretenus. Il a parcouru des kilomètres à pied et en traversant le verger il se rend compte soudain combien il est fatigué. Il s'assoit au pied d'un saule, pose son fusil à côté de lui. Ses yeux se ferment, ses jambes se déplient et il respire à fond.

Quand il se réveille il fait sombre et frais. La lune est au-dessus de sa tête. Il ne sait pas du tout combien de temps il a dormi. Il a l'impression que ça fait des jours. Une femme en manteau long et bottes est debout devant lui et le regarde.

« Ça va ? demande-t-elle.

– Oui, répond-il. Quelle heure est-il ?

– Je ne sais pas. Pas trop tard.

– J'ai dû m'endormir.

– Ouais, je crois. Je vais à pied au bourg si vous allez dans cette direction. »

Il se lève et regarde tout autour. « Je ne sais pas ce qui s'est passé. Je me suis assis pour me reposer cet après-midi et après je ne sais plus.

– La journée a été magnifique, dit-elle. Et normalement ça devrait rester comme ça un moment.

– Qu'est-ce qui vous amène par ici ? »

Elle sourit. « Ma foi, c'est une bonne question. »

Il récupère son fusil. Il a le sentiment très étrange de connaître cet endroit, de connaître cette femme. Il se dit que c'est parce qu'il vient juste de se réveiller, qu'il est encore en partie en train de rêver. Mais quand il prend sa main elle lui semble chaude et réelle, et ils s'avancent entre deux rangées d'arbres, et le clair de lune luit sur les feuilles.

L'auteur souhaiterait remercier Elisabeth Schmitz
et Sarah Chalfant.

LA CONTRÉE IMMOBILE
de Tom Drury
a été achevé d'imprimer en août 2012
sur les presses de l'imprimerie Pulsio.

GRAPHISME : SYLVAIN LAMY

Éditions Cambourakis
2, rue du Marché-Popincourt
F-75011 Paris
www.cambourakis.com

Dépôt légal : octobre 2012.
ISBN : 978-2-36624-003-0
Imprimé en Bulgarie.